現代名著譯叢

書籍的秩序

——歐洲的讀者、作者與圖書館(14-18世紀)

侯瑞・夏提葉(Roger Chartier) ◎ 著　秦曼儀 ◎ 審訂
謝柏暉 ◎ 譯

翻譯之挑戰

祝平一

中央研究院歷史語言研究所研究員

推薦一本譯著總是兩難：要推薦的究竟是原著的精采？還是譯者傳播新知的苦勞？還好對學術書而言，這個問題並不嚴重：當行的人都應知原著的分量。侯瑞・夏提葉(Roger Chartier)是法國著名從書籍史入文化史的大家，而本書談的則是讀者、作者和書目／圖書館三個書籍史的關鍵問題及研究方向。這當然是一本引人進入書籍史的金針，而將金針渡與人的謝柏暉則是台灣史學界的初生之犢，藉著翻譯，練外文、練筆力，也練膽識——挑戰經典翻譯的膽識。

翻譯常是學者一時興起時想做，冷靜之後卻又不敢做的事。台灣學界待譯者甚薄，不但沒業績，稿酬亦微不足道，以致學者視爲畏途。近年來雖因國科會的提倡而有所改善，但翻譯仍被視爲沒有原創性的工作。而且短短兩、三年的資助，也很難翻譯大部頭的名著。實則翻譯絕非易事，往往比寫學術論文還難。現代的翻譯既不能是改寫，亦不能是闡述，而必須是譯者自虐地將原文的桎梏套在自己的遣辭用字上，以期精準地表達原文的結構和義蘊。正因侷限，翻譯的遊戲規則遠比寫作困難。譯者不但得爲此穿梭在原文與自己的語言之間，還得往復來回地精鍊自己的譯語，不斷修訂。譯事因此乃譯者之修行與心的焠煉。念及從17世紀以來，翻譯對近代東亞世界的影響遠過於學術著作，筆者誠心期待學界提升譯者入著作之林，鼓勵翻譯與譯評制度，讓好的譯本成爲溝通台灣與世界學術的橋樑。

夏提葉的原本以另一語言，另一形式流傳，自是作者之幸；而中文譯本能得柏暉這樣用心的譯者，則是讀者之福。柏暉的譯文將開拓中文讀者從書籍的角度審視歷史的視野。

追索有意義的史學

潘光哲

中央研究院近代史研究所副研究員兼胡適紀念館主任

台灣史學晚近的變遷發展，承受「歐風美雨」的吹襲，往往展現與西方當代史學的動向「亦步亦趨」的景況。隨著「新文化史」的研究取向在歐美學界居霸一時，研究成果猶若沛然大國，台灣史學界踵步隨之，「新文化史」的研究取向同樣廣受矚目，甚且漸已蔚然成風。柏暉苦心譯出夏提葉的名著《書籍的秩序》，義蘊深厚，確實深具爲吾輩增添一方「他山之石」的意義。

只是，閱讀夏提葉的這部名著，更在在提醒我們，「新文化史」的事業，畢竟還是歷史學的工作。既然是史學研究，就必須立基在紮實的材料基礎上；沒有紮實的材料基礎，卻專以形構理論、概念等空言爲能事，不過是對史學自身學科紀律的侮辱。因此，閱讀本書之際，千萬別忘記了夏提葉如何開發新史料，藉著大量紮實的歷史材料爲基礎，提出新問題，開拓新視野；倘若僅只曉得挪用師法夏提葉的概括論斷，實在就太辜負柏暉耗費的心力了。

抑且，有意涉足於「新文化史」研究的未來者，從夏提葉的這部書，應該也可以找到別讓自己墮入「史學虛無主義」的反思空間。正如夏提葉對知識的生產流通過程裡的諸多窒礙形式，提供的本是歷史脈絡的檢視，其實在在彰顯對照的正是此際的世局場景。可惜的是，在當下史界裡，「只要我喜歡，有什麼不可以」的研究風潮，好似甚囂塵上，自身的史學實踐與業績，究竟和我們追求理想的生活世界有什麼關係，是否可以多少供應一些足以揭示當下生活體制絕非「理所當然」的思想資源，幾無反省。這等「史學虛無主義」的知識生產活動，泛濫不知所歸，非但不能跳脫先入之見的支配制約，更不免爲現實諸多的霸權暴政，供應「凡存在必合理」的歷史動力。史學工作者的學術實踐，固然不可能提供解決現實問題的標準答案，也難能設定突破存在困境的金科玉律。然而，回顧陳跡故紙，豈容青史成灰。夏提葉以本書展現的關懷與思考，充分顯示異邦高明之士，如何超越既有歷史敘述的主流架構，又能爲認識理解此刻存在處境的智慧，別開新域。

讀者展卷之餘，如可對柏暉進行譯事的苦心，別有體會；那麼，夏提葉這部名著在漢語世界的面世，就不會只是「新文化史」風氣的又一展現而已，對本土學術知識的生產事業，必可雕塑自我鞭策的千層堆雪。

在過多的與消失的書之間，尋覓人與書相遇的故事

秦曼儀
台灣大學歷史暨研究所

什麼是「書」？人類文明史上什麼時候開始出現「書」？人們如何製造並取得「書」？人們如何使用和閱讀「書」？「書」在不同時代和不同社會中扮演什麼樣的角色？又起了什麼樣的文化作用？在此數位資訊盛行的網路時代，在甚囂塵上地唱衰紙本書籍將步入歷史的時刻，這些由歐美書籍史家自20世紀六〇年代以降陸續提出，並深入探究的問題，對於當前想要了解知識之物質載體和技術革新，之於閱讀產生何種影響的人而言，不僅不陳舊過時，反而具備啓發新思的推動力。

由法國史學界泰斗侯瑞・夏提葉(Roger Chartier, 1945-)教授執筆的《書籍的秩序》，於1992年首度以法文版問世，英譯本兩年後出版。在20世紀邁入九〇年代之際，Web才剛剛出現，網站和搜索引擎的使用尚未普及，作者卻在書中意味深遠地邀請讀者辨識和思考閱讀在歷史長河中的發展，尤其指引讀者可以從三個長期轉變的面向，以及此三個面向彼此之間的連結關係入手探詢：「第一個面向是關於文本複製技術的「革命」(從手寫文化到印刷文化的轉移爲其中最早的革命之一)；第二個面向爲書籍形式的改變(從捲軸書

到西元初期幾個世紀的翻頁書是最根本的變化，還有其他發生在16-18世紀間較微小的改變，如印刷頁面視覺外觀的修改）；第三個面向爲閱讀技巧和閱讀模式大規模的改變。這三項分別爲技術、形式，和文化的長期轉變，並不是以相同的步調發展，也各有其自身的轉捩點。今日閱讀史研究所提出，也是其所面對最爲有趣的問題，便是這三項轉變之間的關係。」自九〇年代末蓬勃發展至今的電子書宣告了文本複製技術和書籍形式上的革新；但夏提葉教授的這部作品提醒我們，若要捕捉屬於我們時代特有的、且正在發生變化的閱讀文化的故事，必須考慮千百年來由翻頁書構成的閱讀習慣、誕生於印刷書時代的著作權概念和法規、各種掌控書籍之秩序的建置，包括圖書館機構、分類系統、管制和查禁制度，是如何與書寫物的新式傳播與閱讀媒介產生衝突、抗衡與競爭，以及創造共存與調和等等有機的互動樣態。

《書籍的秩序》在出版後20年的今日，依然具引領讀者反思當前人文處境的洞見。本書作者於2006年榮獲法國學者最高成就「法蘭西學院講座教授」，其早期的學術養成背景，乃是領導法國史學界著手研究經濟局勢、社會結構、人口學、集體心態等必須從長時段歷程的視野，才能掌握特定社會或區域整體消長與變遷之意義的年鑑學派訓練。長時段的時間概念有助彰顯歷史上自發明書寫以來，書寫之物，尤其是書籍，其樣貌形式和複製技術在發展過程中的持久特性；夏提葉教授卻致力於識別在長期的手抄翻頁書時代或印刷書時代中的動態歷史，如文學作品在出版策略的考量或是印刷排版的製作過程中產生的不同版本，以及在傳播和接受過程中發生的多樣使用與閱讀的經驗。然而，這種以長時段歷程考察人文現象的史學底蘊，使得他在歷史知識的開拓上，不僅於其專長的歐洲近代書籍與閱讀史方面貢獻卓越，更領軍歐美史學界成就一部部貫穿西方上古至當代的《法國出版史》(*Histoire de l'édition française*, 1982-1986)、《西方世界閱讀史》(*Storia della lettura nel mondo occidentale*, 1995)等具學術典範地位的作品。

開拓歷史知識的可能性，取決於史家對於自身如何認識和書寫歷史的反省工作。在本書作者將個人研究興趣從教育史轉向書籍史的七〇年代，法國史學界正值以多量並具同質特性的檔案資料爲分析對象，借助量化統計方式，勾勒近代早期歐洲的識字率、書籍之生產量和社會分布的情形。當他認識到，既有的史學訓練其給定的觀點和分析之方法與模式不利於提出讀者如何使用和閱讀其讀物，這類關注人作爲社會行動者與文化實踐者的問題意識之後，不斷地透過與其他人文研究領域的對話和史學實作的演練，逐一突破計量書籍史筆下不見讀者的閱讀經驗、不見作者之生存處境和創作的關係、不見書籍的內容、不見書籍之物質特性的困境。由是之故，他在本書的〈後記：《書籍的秩序》再思考〉一文中語重心長地強調：「作爲歷史學家，必須持續不斷地檢視方法論與自身研究的關聯。」

法國史學界在1992年那一年當中，欣然迎接了三位開創書籍史研究新格局的學者，各自寫著的具方法論省思之作，除了本書之外，另外兩本的作者分別爲美國學者羅伯・丹屯(Robert Darnton, 1939-)以及英國學者麥肯錫(Donald Francis McKenzie, 1931-1999)。15年後，*Modern Intellectual History*的期刊編輯設定一座談會專題：「什麼是書籍史？」除了已逝的麥肯錫教授缺席之外，夏提葉教授、丹屯教授和關注傳播與接受史的英國學者彼得・柏克(Peter Burke, 1937-)教授，受邀針對自己在20世紀八〇年代與九〇年代發表的一部關乎書籍史的關鍵作品，重新評估當時寫作過程中「未曾思及或僅些微觸及之處」。期刊編輯爲夏提葉教授選定討論的作品，即《書籍的秩序》。在筆者的建議下，他欣然授權以〈後記〉之名刊登於中文譯本，因爲有助台灣讀者了解本書在書籍史學專業發展的脈絡中，其討論的議題、提問的角度、研究取徑和歷史知識的開拓，所具承先啓後的貢獻之處。

本書的中譯工作巧合地也在2007年正式啓動。那年筆者在台大歷史研究所開授歐美書寫文化史專題，帶著學生在一本接著一本的精采史作中，理解夏提葉等書籍史家如何能夠突破思維框架，以讀者和閱讀爲提問角度，注意到在金屬活字版印刷術發明之後的近代歐洲社會，人們閱讀的書寫物不只有印刷書籍，也不只有當代文學史或思想史視爲有意義的、或具經典價值的作品。事實上，當時的社會中，流通大量的非書籍形式的印刷品如海報、未裝訂的小冊子或報紙，以及非印刷複製技術製成的手抄書、私人之間交換的信件。也因此原由，夏提葉先生以「近代早期歐洲的書寫與文化」作爲他在法蘭西學院的講座名稱，討論文學與平常書寫實物及活動的互動關係。在修課的研究生當中，柏暉表現極爲優秀，原因在於他對歐美史學抱持廣泛接觸又深入研讀的學習態度。當他表達想請我指導翻譯《書籍的秩序》一書之時，我一則以喜一則以憂。筆者自然期待業師的著作能夠以中譯本形式，在知識的增進上與智識的思辨能力上，嘉惠課堂以外的讀者。但此本僅由三篇文章構成的薄書，交織於字裡行間的理論思維和博學底蘊，非特別用功的譯者是無法兼顧並流暢表達之。我雖然作爲此書翻譯過程中的指導者以及學術審訂者，若非柏暉在有助理解文意的史學知識方面、語境轉換之美學要求方面，不斷地自我要求精益求精，是不可能以今日的品質與讀者見面。

「書」這個字在中外語文裡，都具備兩個意思，一是指其樣貌形體，另一指其文字內容。我行文至此，都是在談《書籍的秩序》一書的內容，它的作者、讀者和譯者。然而此中譯本能夠握在讀者的手上，必須深切感謝林載爵老師的大力支持，以及聯經出版中所有使其具備出版合法地位以及書之樣貌的專業人員。林載爵老師曾表示甚爲期盼讀到一部講述台灣出版史的著作。任何一本書都難以無中生有。筆者不免期盼本書不論是在學術研究的推進上，或是讀者個人在理解自身之閱讀環境的問題上，都有所助益。

譯者序

侯瑞・夏提葉的《書籍的秩序》一書，雖然是1992年出版的舊作，但其中探討的問題，思辨的焦點，在在都和當下資訊傳播形式變革的公共議題密切相關。如文本物質載體形式的改變，對文本意義解讀的影響，在現今的脈絡中，便和文本的數位化緊密扣連。雖然文本數位化的技術始於1990年代，但對知識儲存和流通方式造成眞正巨大的衝擊，則是近幾年的事。其中最顯著的例子，便是Google大量數位化文本，並將所建立的資料庫開放搜尋的生意。至2008年11月，Google已經將七百萬本書數位化，其中一百萬本是超過版權時效，得以自由流通的著作；另一百萬本是仍在版權時效期限內，且依然在書籍市場上販售的作品；而其餘五百萬本，則是仍受版權保護，但已在書籍市場上絕跡的著作。雖然Google針對有版權保護的著作只開放關鍵字搜尋，而不提供全文瀏覽，但在2005年，Google仍遭擁有版權的作者和出版商提出侵權的指控。

這些發生在當下，與我們日常生活中，不論透過實體書籍還是網路的閱讀，以及書本和期刊資料的取得等等，密切相關的事件，並不是最近幾年，單純隨著網路和數位化技術的成熟，而帶來的「進步」成果。盡可能將所有已知的書籍集中於一處，建立成世界圖書館，自古以來，一直是西方文明的夢想。這座理想的圖書館，不只要鉅細靡遺地囊括所有曾經爲人寫就的書籍，還要將之開放給公眾分享。這樣的理想，也反映著啓蒙運動反對個人壟斷，主張知識要爲公眾福祉服務的理念。然而，無論在文藝復興還是啓蒙運動的時代，種種建立世界圖書館的嘗試，最終都以失敗收場。印刷生產出浩如煙海的文本，使得集中所有書籍於一處的希望盡數落空。雖然壯志未酬，但將所有知識集中並開放，依然是持續縈繞於西方文明的夢想。重要的是，這個夢想在今天日新月異的數位技術和無遠弗屆的網路世界中，似乎已有實現的可能。因此，我們不能將Google建立世界圖書館的計畫和實行，看作孤立的事件，或技術成熟必然的結果，而要將之置於歷史的脈絡中，方能理解其意義與衝擊。

世界圖書館的夢想與現實的落差

以書籍出版史研究蜚聲國際，同時也是現任哈佛大學圖書館館長的史家羅伯・丹屯，從歷史的角度探討Google數位圖書館對書籍出版業所造成的巨大衝擊，並提出獨到的見解。與一般認知不同的是，丹屯認爲圖書數位化不僅不會導致實體圖書館走入歷史，反而還會賦予圖書館前所未有的重要性。原因在於，Google不可能把所有的書籍數位化。即便Google有此雄心壯志，恐怕仍是力有未逮。雖然Google在2006年和紐約公共圖書館、哈佛大學、密西根大學、史丹佛大學和牛津大學包德廉圖書館(Bodleian Library)等五間大型圖書館簽約，將館藏數位化，但這五間圖書館的藏書，和美國所有的圖書儲藏量相比，仍有相當的差距。即便未來Google與美國所有大型圖書館簽約，並順利將藏書數位化，這仍然不包含典藏珍稀古籍的特藏部分。更不用說鉅細靡遺地將全世界所有語言的所有書籍數位化，仍遠遠超越Google能力所及。即便假定Google能持續穩定營運一段相當長的時間，恐怕圖書數位化的進展也不會有太驚人的成果，因爲Google雖然已經說服仍受版權保護的出版商和作者授權提供關鍵字搜尋，但以正在出版中及將要出版的書籍而言，Google仍然鞭長莫及。2006年美國出版了29萬1920種新書，且實體書籍的發行量在過去十年持續增加不墜，並未受到文本數位化趨勢的影響。如此一來，Google要如何一面掃描既有的藏書，一面又兼顧新出版書籍的數位化，且還要處理版權的問題？因此，與其仰賴Google的數位化工程來保存持續出版中的書籍，不如將之納入實體圖書館的收藏來得實際。

如果從書籍史(histoire du livre)研究的角度來看，實體圖書館的重要性更是遠非數位圖書館可以比擬。許多珍貴稀有的書籍或版本未能數位化的結果，將導致依賴Google數位圖書和網路搜尋的研究出現重大瑕疵，因爲任何單一版本都不足以呈現一本書眞實的內容，即使錯失某書的某一個版本或某種文類的某一本著作，都可能對研究成果造成舉足輕重的影響。更重要的是，由於判斷何爲重要書籍的標準隨著時移勢易有所不同，今日認爲不值得數位化的書籍文本，在數個世代之後可能會成爲歷史研究的重要文獻，就像過去被認爲不值一顧的廉價庶民讀物，對今日的研究者來說卻是如獲至寶。夏提葉在本書中關於《藍皮文庫》(*Bibliothèque bleu*)的研究，便是一個絕佳的範例。

撇開歷史研究的因素不談，即使單就現今眼下的閱讀而言，數位文本也未必能像實體書籍一樣，滿足人們既有的閱讀經驗和需求。雖然Google矢志要將數位化過程中的疏失和瑕疵減到最低，但缺頁、模糊等缺點依然可見，數位化的文本並不一定是實體書籍完美的逐頁複製。即便假設數位化文本能完美複製原書，但和閱讀實體書籍相比，電腦螢幕的媒介仍然會使讀者錯失許多重要的面向。例如，大小開數就是一個問題。閱讀可以拿在單手上的十二開本，和閱讀需要架在木架上才能展開的對開本，便是截然不同的經驗，遑論螢幕和實體書籍之間的差別。此外，包括紙質的觸感，印刷的質感，裝訂的手感，都是衡量一本書在讀者心中的分量與感受的重要標準。甚至書籍聞起來的味道，都能攸關讀者的閱讀經驗。一份最近針對法國學生作的調查顯示，43%的學生認爲書籍的味道對閱讀來說至關重要，因此他們拒絕購買嗅之無味的電子書籍。一家法國的網路出版商，因此發明了一種能散發書籍氣味的電腦裝置來吸引消費者訂購電子書刊。由此看來，數位文本是否能夠取代實體書籍的閱讀，仍是一個有待時間檢驗的問題。

除此之外，即便就數位文本看似最具優勢的資料保存面向而言，數位化檔案和實體書籍相比的優勢也不那麼明顯，因爲數位技術會過時，檔案也會遺失。如同一度被認爲能夠解決書籍儲藏問題的微捲，最終也無法取代實體書籍一般，數位檔案也未必是儲存資料的牢靠保證。只有白紙黑字的印刷和實體書籍的形式，才是文本保存最可靠的憑藉。因此，Google數位圖書館不論是就現在還是可見的未來而言，仍不足以取代既有的實體圖書館。即使數位化技術使得建立世界圖書館的夢想前進了一大步，但在古往今來堆疊聚積的無數知識面前，人類依然顯得渺小。

資訊壟斷的可能與啓蒙運動理想的衝突

雖然Google數位圖書館在收集和保存書籍上，離鉅細靡遺的世界圖書館夢想還有相當長的一段距離，但就資訊的流通而言，Google的數位文本和搜尋引擎，無疑能更進一步地促進資訊的開放和溝通。然而，流通知識的管道過度集中在一家私人公司，卻也不免令有識之士感到憂心忡忡。

Google與作者和出版商之間的侵權官司，於2008年10月落幕，兩造簽署的協議，使擁有版權的作者和出版商，都能由Google提供的資料庫服務獲利。更有甚者，這份協議將使任何想在文本數位資料庫方面，與Google競爭的廠商，都難以與之匹敵。這樣的現象，使丹屯不得不挺身而出，提醒世人注意控制取得資訊的權力，過度集中在一家私人企業，可能導致知識壟斷的風險。丹屯認爲，不僅站在圖書館的立場，必須盡可能將知識的流通極大化，降低妨礙溝通的阻力；更因爲將知識分享給眾人，乃是啓蒙運動的理念，而美國正是依據啓蒙運動理念建立的國家。正因如此，丹屯指出，美國憲法才會規定版權有時效的限制。雖然建國先賢肯定作者的權利，但他們更將公眾的福祉放在私人利益之上。美國憲法對版權的規定並非孤立的發明，而有其歷史脈絡可循。版權發展的歷程，正是一部知識的壟斷與開放，相互競爭的歷史。

版權（copyright）一詞源於1710年英國的「版權法案」（Statute of Anne）。然而，當時所謂「版權」的內涵仍不明確，現代意義的版權，乃是建立於此後作者對著作的所有權，在法律上日趨強固的歷史發展之上。關於此法案的前因後果，必須從16世紀說起。在16

世紀的英國，書籍的規範有兩套平行的制度，一是王權授予的專利(patent)，另一是由倫敦書商與印刷行會(Stationer's Company)的條例進行管理的制度。行會對書籍的獨占權同樣來自於王權，以登記制度進行管理。書籍只要經由行會登記，登記者便擁有印刷該書的永久權利，可以繼承、出售，也可共同持有。只有行會成員，也就是書商和印刷商，才能擁有對書籍「版本」(copy)的獨占權。在這種登記制度中，作者對其作品擁有的權利，僅限於手稿的金錢價格，就如同擁有一隻錶或一座鐘一樣，一旦出售或讓渡，著作便與作者無關。雖然這種登記制度促成行會成員擁有文本的永久產權，但王權授權行會的目的與產權無涉，而主要在建立有效的書籍查禁制度。

當英國內戰時期，賦予行會文本獨占權的星法院(Star Chamber)在1641年遭到廢除之後，書籍的管理與查禁制度也隨之崩潰，出版市場陷入混亂，任何人均可出版任何書籍與刊物。爲了恢復出版市場的秩序，國會於1642年下令書籍出版需有作者的同意。但國會此舉目的不在授予作者對其著作的權利，而在於確立作者和印刷商對非法書籍所需負的責任。然而，此詔令並未發揮預期的功效。因此，1662年再度立法，規定書籍的出版，必須經由當局認證，目的在檢查、控制印刷出版。但此法案招致對書籍檢查與行會壟斷的質疑。如洛克(John Locke, 1632-1704)便反對針對書籍進行出版前檢查，因爲若有違法，出版後經司法處理便已足夠。他也擔心此法會導致「無知又懶散」的書商對著作的壟斷。在此法案於1695年自動失效之後，英國政府便面對要如何才能在確保書籍檢查，與維護行會成員對文本的權利之外，又兼能打破行會壟斷書籍印刷的問題。在倫敦書商向國會多次請願之後，終於在1710年促成版權法案的通過。

版權法案的重要性，在於首次確立了版權。在此之前，行會成員擁有複製「版本」的獨占權，但此並非版權，因爲兩者立法基礎不同。行會的獨占權是基於以書籍查禁爲主要目的的登記制度，而版權則是建立在著作以作者爲依歸的所有權之上。倫敦書商之所以向國會請願，要求確立版權，除了爲解決盜版亂象之外，更有藉由確立作者對著作的所有權，來坐實書商購自作者之版權乃永久合法產權的圖謀。然而，倫敦書商的企圖最終以失敗收場，因爲國會爲了打破倫敦書商的壟斷，終究規定版權比照有時效限制的專利，而非永久的產權。值得注意的是，在版權法案請願期間正反雙方的折衝之中，永久版權的贊成者和反對者不約而同以作者具有其著作的所有權爲訴求。就贊成方的行會書商而言，訴求作者具有其著作的所有權，便能主張書商由作者處購得的版權，亦具有法律上完整的永久產權。而反對書商壟斷，但又亟欲解決盜版亂象者，也同樣訴諸作者對其著作具有不可剝奪的所有權。如此則作者的權利有法律的保障，同時也必須對其著作負責。這種對作者與產權的重視，有其時代背景可循。正是在此時，開始出現具有影響力的知名作家，且在1688年光榮革命之後，自由與產權也更受重視。

然而，與版權定義的爭議至爲相關的著作所有權概念，此時依然模糊不清。關鍵在於，此時主張作者具有其著作所有權者，對所謂的所有權究竟是作者原本就有，基於習慣法(common law)，如同地產一般的永久產權，還是要求國會授予作者對著作前所未有的權利，並沒有明確的答案。此外，作者的定義也相當模糊。此時英國法院有幾項判決，裁定翻譯者可以是作者，而其譯本可視爲與原作不同的作品。不只如此，由於版權法案保障的最小單位是書，構成書籍的章節內容則不受版權保護。因此，改編和節錄十分盛行；除非搬抄極大的比例，否則在法律上幾乎沒有剽竊問題。顯而易見，在18世紀初年，作者和著作的現代定義依然僅粗具雛形。可見版權法案並未能釐清作者與著作在法律上的關係，以及由此衍生的諸如作者在法律上的地位，以及書商與作者法律關係的問題。最明顯的表徵，便是在1710年此案通過之後，法院的判決依然對此法案的規定視同具文。雖然版權法案仿照原本規範專利權的法案，將版權時效定爲14年(作者仍在世則再延長14年)。但在1720、30年代，倫敦書商向大法官法庭要求禁制被告盜版的案件中，即便原告的版權已經過期，法官依然判決原告勝訴。這就顯示書商所購得的版權被視爲習慣法上永久的產權，而非版權法案所比照有時效的專利權。這種在法律規定和實際施行之間的落差，便是作者與其著作的法律關係尚未得到釐清的明證。事實上，出版業成功忽略版權法案規定的時效限制直到1770年代。關於著作法律上所有權定位的問題，要到1774年Donaldson v. Becket一案才告解決，確立版權爲14年，且只得延長一次，即最長爲28年。

1787年美國起草憲法之時，英國對版權最長28年時效的規定受到青睞。故1790年美國首部「版權法案」，即比照英國將版權限定爲14年，得延長一次。然而，1998年的「米老鼠保障法案」(Sonny Bono Copyright Term Expenditure Act of 1998)[1] 卻將版權延長爲作者在世外加70年，因而大多數20世紀的著作至今都仍受版權保護。丹屯指出，國會通過此法案，不僅爲知識的流通設下障礙，更有違

1 此法案之所以稱爲「米老鼠保障法案」，是因爲米老鼠當時即將超過版權保障的期限。

建國先賢所服膺的啓蒙運動理念。雖然在這個背景之下，Google建立世界圖書館的生意將有助於知識的流通，但丹屯也對Google能否持續將公眾福祉擺在企業利益之前表示懷疑。波赫士(Jorge Luis Borges, 1899-1986)曾說：「當談到圖書館囊括了所有的書籍時，人們的第一個反應總是，此乃不敢奢求的幸福。」但若此理想上鉅細靡遺的圖書館只爲私人利益服務，而不能開放給公眾自由使用和分享的話，自文藝復興迄啓蒙運動以來，爲打破書籍、知識壟斷所做的努力，也終將白費。Google最新的用戶隱私政策，已使該公司「不作惡」(Don't be evil)的信條受到質疑；也令人對其建立開放世界圖書館的雄圖大業踟躕不前。

夏提葉在本書中，即以回溯的角度，帶領讀者由歷史的脈絡中思考與當下關於知識的限制與流通、集中與管理、版權與圖書館的建立等相關問題。除此之外，夏提葉更對作者、讀者、書籍的製成和閱讀的歷史，進行博學的分析，探討文本物質載體的形式，如何能影響讀者對其意義的解讀。這在原本爲人熟悉的「翻頁本」(codex)書籍形式一再遭到電腦螢幕、電子書等新物質載體顛覆的現代，也是與人們切身相關的議題。更重要的是，夏提葉在書中採用文化史取徑，探討現代意義的作者、書籍和版權的概念，在具體出現而可以識別之前，使這種概念得以形成的思想和文化脈絡爲何。因此，任何有志於研究、理解書籍與閱讀歷史者，都不能錯過夏提葉在本書中的關懷與思考。

本書能夠順利譯成，首先要感謝台大秦曼儀老師。若非秦老師慷慨允諾擔任指導、審訂的工作，本書的出版可能還遙遙無期。師大林麗月老師在我碩士論文寫作期間依然支持翻譯工作進行，使之不致中斷，深表感激。中研院祝平一老師對譯稿不吝提點，特此致謝。台大劉慧老師爲譯稿提供許多寶貴意見，十分感激。對我來說亦師亦友的同儕，也是本書得以付梓的功臣。陳建守、莊勝全、陳佑慎都協助閱讀本書譯稿並給予寶貴的意見。他們正在各自的領域攻讀博士，祝他們早日闖出一片天空。最後，我要特別感謝我的父母，沒有他們毫無保留的支持，我的人生不可能走到這一步。

序於南沙上島前夕

作者序

本書共有三章，由我之前已經發表過的三篇論文集結而成。表面上看來各章之間並無直接關聯，但我希望凸顯一個貫穿全書的問題，那就是從中世紀結束到18世紀之間，歐洲人如何因應印刷術對書籍製作和文學生產，所帶來的巨大衝擊。從編列書目、分類作品到查證與標明文本，在在都是確立書寫文字世界秩序的手段。這些規範書籍生產和流通的嘗試及結果，對我們身處的現代，造成了直接而深刻的影響。正是在手抄書漸漸被活字印刷取代的幾個世紀中，知識生產和流通方式產生的決定性轉變，形塑了我們今日的行動和思想。這些根本的轉變，約莫肇端於古騰堡發明活字印刷術的15世紀中葉左右。自此開始，諸如以作者作爲分類和指稱文本的基本原則、建立收藏古往今來所有著作的世界圖書館的夢想和嘗試，或是使得文本、作者與文本的物質載體緊密關聯的新書籍定義，都深刻地改變了人與文本之間的關係。

然而，人與文本之間建立的新關係並非理所當然，其中蘊涵內在的矛盾。一方面，每一位讀者都必須應付一整套的限制和規定，因爲作者、書商兼出版商、評論者，以及書籍檢查官員，都希望能夠嚴密控制意義的生產，確保他們所撰寫、出版、評註或批准的書籍，不會有任何偏離他們所規範原意的可能。但在另一方面，閱讀，從定義上來說，總是捉摸不定，很難受到全面地控制。不論政府如何偵緝、查禁非法書籍，讀者總有辦法取得禁書；且讀者從不循規蹈矩地閱讀，總是能夠顛覆加諸在他們身上的種種規範和訓言。

由此可見，書籍總是意圖對讀者施加某種秩序，不論是使書籍得以被理解與闡釋的秩序，還是掌控或批准書籍的當權者所屬意的秩序。然而，當種種秩序要剝奪讀者閱讀的自由時，卻不總是無往不利。即便受限於讀者能力的差異和諸多閱讀成規的重圍之中，閱讀的自由總能扭轉限制，並形塑本應受到抑制的新意涵。在秩序的施加與讀者的挪用(appropriation)之間，以及在被逾越的限制和受到束縛的自由之間的辯證關係，在不同的時代、地點和讀者群中都不盡相同。因此，確認此辯證關係的各種模式和變動，對力圖理解蘊涵多樣差異的讀者社群，和其「閱讀的技藝」(arts of reading)之閱讀史研究來說，乃是首要的目標。

除此之外，「書籍的秩序」還有另一層意思。不論是手抄書還是印刷書，書籍畢竟是一種物品。其形式(form)雖然未必能夠眞正影響所承載文本的意涵，但至少也能控制文本受到使用及挪用的方式。這種文本載體的物質形式之所以重要，是因爲著作與論述唯有印製在書頁上的時候才成爲實體，而得以透過朗讀、敘述的聲音或劇場的演出傳播。所以，要理解掌控「論述的秩序」之要素，就意味著要縝密地闡釋使書籍(以及其他可資書寫的物品)得以生產、流通與接納(reception)的物質因素。事實上，研究文學史和文化實踐的歷史學家，早已察覺由物質形式所產生之意涵的效果。就書籍而言，其物質形式構成的獨特秩序，完全不同於其他種物質載體，不論所承載的是經典名著還是一般文本，都是如此。這表示，即使本書並未特別強調，我們仍應密切注意當書寫變成書籍時，在技術、視覺和物質層面上，使書寫得以閱讀的組織與裝置。

此外，本書另有一個目的，就是更爲全面地省思，我們常不假思索地，加在「文化」這個詞彙上的兩個意義之間的相互關係。第一個意義，指的是在任何社會中，賦予著作和舉止行爲，美學或智識性的評價。第二個意義，則指如閱讀這種尋常、平凡的實踐，如何彰顯一個社群，不論規模大小，用以體驗和構思與世界、他者，和自身之關係的方式。這項省思的關鍵，就是重新思考著作的流傳和接納的過程。

著作，即便是最偉大的名著，也沒有穩定、普遍、固著不變的意涵，特別是風雨名山之作更是如此。它們被賦予多樣、流動的意義，構成於論述和接納的交會之中。由文本的形式及其主題建構而成的意涵，因此也會依不同讀者群的能力高下或期待有別而改變。誠然，文本的創作者(或「權威人士」或「學者」)總是渴望將意涵固定住，並宣告能夠規範閱讀(或觀看)的正確解釋。但接納的一方，也就是讀者，總是能突破規範的局限。

著作是在一個有其自身的法則、成規，和階序的特殊秩序中製成的，但它們超脫了這些限制，並在社會流通傳布的過程中(可以橫跨相當長的時段)，漸漸累積沉澱，成爲孕育思想根苗的土壤。根據形成接納著作之社群的「文化」(就人類學的定義而言)，及其心理和情感的系統來闡述，著作從被動受到接納的對象，轉而成爲思索像是社會紐帶的建構、個人的主體性，以及與神聖的關係等，這些人類社會基本問題的重要材料。

任何著作的形式和主題，都在特定的時空之下，與權力的運作模式、社會形態，和個體性的表現賴以組織的方式相關。因此，雖然作者常被認爲、也自認爲是創造者，但他們實際上是在一種受到限制的狀態下創作。他們受限於決定作家生存的條件，包括權貴的庇護、贊助，或是市場體制的法則。甚至在更深的層面上，受限於蘊涵在著作本身當中，未被意識到的決定性因素。反面來看，正是這些因素使得著作得以交流和解讀。

從這個角度，認定所有的著作都是定著在社會的實踐與建制之中，並不是要主張所有的心智創作都可以等量齊觀。畢竟在出類拔萃的著作中，發人深省的靈感泉源永遠汲取不盡。此外，著作的生產和接納，也不應該透過訴諸美感的普世性，或人性的統一性來理解，因爲根本的重點，在於著作與讀者間，其他更爲複雜、微妙、捉摸不定的關係之中。這些關係建立在著作所特有，並可以爲人挪用的形式(象徵的或物質的)，與各式各樣讀者，看待著作各不相同的習慣與關懷之間。

今日任何文化史的研究，都必須關注差異與限制之間的矛盾連結。差異是指各個社會團體，以其特有的組織模式，從日常生活的實踐中，區隔出一個個獨特的人類活動領域。而限制，指的是人們在各自知識背景條件的限制之下，以形形色色的方式書寫美學與智識的創新。這兩者在問題意識上的連結，根植於賦予著作最深刻意義的脈絡之中，將著作的意義，建立在每個讀者群日常生活的實踐中，由平凡經驗轉化而成的省思和美感之上。

究竟作者的形象是如何被建構出來的？形成讀者社群的法則又是如何？圖書館的建築(不論是實體或抽象)究竟具有何種意義？對於這些議題的思考，將會有助釐清當今知識學門和公共論壇一些爭議性的問題。藉由以關注差異與變化的文化史思維，取代含有不證自明之普同性錯覺的觀點，將有助我們質疑，原本以爲再眞確不過的區別和眞理。

目次

第一章　讀者社群

讀者和作者大不相同。作者就像替自己打下一片天的拓荒者。他們是在語言的土地上討生活的古老農民後裔，是水井的挖掘者，也是屋舍的建造者。而讀者就像是旅人，有如游牧民族一般，入侵一片又一片他們從未筆耕的土地，恣意盜獵所需，劫掠不義之財以供自身享樂。寫作就像是一種聚積、儲藏的事業，企圖透過建立自身的產業，並以不斷生產的擴張策略壯大規模，以抵擋時間的洪流。而閱讀則未採取任何手段來抗拒時間的沖刷(遺忘自身，也爲人所遺忘)，也未曾，或者僅在相當細微的程度上，保留其所攫取之物。隨著讀者一次又一次的入侵，寫作的產業就成了一個又一個的失樂園[*1]。

---

* 〔中譯註〕此即英國詩人彌爾頓(John Milton, 1608-1674)所撰史詩《失樂園》(*Parasise Lost*)。內容描述亞當和夏娃如何受到撒旦的誘惑，而遭上帝逐出伊甸園。然而，此詩關切的要旨，實在於人的自由意志和上帝永恆的高瞻遠矚之間的衝突。此處則引伸爲讀者各取所需的自由解讀，與作者(「作者」一字也可以指造物主)限定著作意涵的企圖之間的衝突。

1　Michel de Certeau, *L'invention du quotidien,* vol. 1, *Arts de faire* (1980), new edn, ed. Luce Giard (Gallimard, Paris, 1990). p. 251, 引自Certeau. *The*

在這段傑出的文字中，米歇・德瑟鐸(Michel de Certeau)將穩固不變的寫作，與總是捉摸不定、轉瞬即逝的閱讀做了鮮活的對比。對任何嘗試羅列書目清單，或企圖理解閱讀實踐的歷史研究來說，此對比乃是一種必要的基礎，同時也是令人擔心的挑戰，因爲閱讀實踐僅僅殘留些許痕跡，散存於無數的個人行動之中，並輕易地擺脫任何限制的束縛。因此，任何研究閱讀實踐的計畫，都必須假定兩個前提。其一，閱讀並不是限定在文本之上，因爲作者、閱讀習慣或批評所加諸於文本的意義，和讀者可能做出的詮釋之間，存在著難以想見的鴻溝。其二，唯有藉由讀者的解讀，文本才能彰顯各種不同的意義。如德瑟鐸所言：

> 不論是報紙還是普魯斯特(Proust)，文本只有透過讀者才能彰顯意義，其意義也因此隨讀者的不同而改變。文本受到其自身無法掌控的讀者感知規則所規範，必須將之放在和外界讀者的關係中，才成爲可以讀取的文本。這種關係可以理解爲書籍的意圖，與讀者的對策間的交互作用，存在於兩種「期待」(expectation)的結合之上。一是組織一個**可讀的空間**的期待；二是組織一個使著作得以**作用**(閱讀)的必要程序的期待[2]。

(續)

Practice of Everyday Life, tr. Steven F. Rendall (University of California Press, Berkeley, Los Angeles, and London, 1984), p. 174.

2 Certeau, *L'invention du quotidien,* p. 247, 引自 *The Practice of Everyday Life*, pp. 170-1. 關於德瑟鐸對閱讀和書寫結合的討論，見Anne-Marie Chartier and Jean Hébrard, "*L'invention du quotidien*, une lecture, des usages". *Le débat*, 49 (March-April 1988). pp. 97-108.

因此，歷史學家的任務，就是去重建區分**可讀的空間**，即以論述和物質的形式呈現的文本，與控制文本發揮其**作用**(effectuation)的環境，也就是以具體的實踐和詮釋的程序呈現的閱讀之間，複雜多樣的變化。

德瑟鐸的意見，爲閱讀史研究思索的議題、問題和可行的條件提供了基礎。這種研究的空間，通常由三個在學院傳統中分立的學門所定義。首先是文本分析，不論是針對經典名著或一般作品，目的是識別其結構、主題與意圖。再來是書籍史，以及更廣泛的，所有承載文本的物體及形式的歷史。最後，是針對書寫物品的物質形式，對閱讀實踐在文本使用方式，及意義解讀上造成的影響，所做的研究。對我來說，最後這種結合文本批評、書目學(bibliography)與文化史的取徑最爲重要，其所提出根本上的省思爲：在法國舊制度(ancien régime)時期的社會中，印刷品與日俱增的流通，如何轉變了人們在社會中的互動關係、使新思考模式的出現成爲可能，並改變了人民與當權者之間的關係？

要朝這個方向思索，我們必須更加了解保羅・里克爾(Paul Ricoeur)所說，在「文本的世界」與「讀者的世界」之間，交會運作的方式[3]。若要在文本的歷史向度中，重建其**作用**(閱讀)的過程，我們首先必須接受一個概念，那就是文本的意義，受限於使其得以被讀者(或聆聽者)接納和挪用的物質形式。讀者和聆聽者，實際上未曾面對，脫離所有物質形式的抽象或非現實的文本。他們所

3　Paul Ricoeur, *Temps et récite,* 3 vols (Editions du Seuil, Paris, 1985), vol. 3, *Le temps raconté*, pp. 228-63, 英譯本見Ricoeur, *Time and Narrative*, tr. Kathleen McLaughlin and David Pellauer, 3 vols (University of Chicago Press, Chicago, 1984-8).

操作使用，親身感受到的物質形式的外觀和形狀，主導了他們閱讀(或聆聽)的方式。如此，文本才可能經由閱讀(或聆聽)受到理解。重點在於，意涵乃是因形式而生；縱使文本一字不變，當使其得以爲讀者理解的外在條件，或物質機制改變之時，文本也將被賦予新的意義及地位。這種思考方式，因此就超越了過去純粹以符號學觀點，認定文本的意義，與其載體的形式或外在環境毫無關聯的論點。(過去此論點不僅盤據了各式各樣的結構主義批評，也存在於最傾向重建著作如何爲讀者接納的文學理論之中。)

所以我們必須謹記，閱讀是一種在行動、空間和習慣之中，獲得具體化的實踐。而對這樣的實踐所做的歷史研究，不應該成爲忽略個別閱讀行動差異，簡單地假設所有讀者都有相同閱讀經驗的現象學(phenomenology)。閱讀史必須能夠辨識那些，區別各式各樣讀者社群與閱讀傳統的特殊機制。欲達成此目標，便需重新確認幾組作爲研究工具的對比，兩端之間的各種差異。第一組是關於閱讀能力的對比。過去的研究在識字者與不識字者之間所做的區隔，雖是理解閱讀歷史的基礎工作，卻過度簡化問題，無法涵蓋讀者與書寫的關係之間的種種差異。因爲能夠閱讀的讀者，並不總是用同一種方式閱讀。在讀者中，博學多聞的知識菁英和略識之無的庶民百姓之間，差異不可以道里計。庶民在閱讀實踐上，不僅必須靠讀出聲音才能消化文本，也只能理解特定形式的書寫或印刷讀物。第二組在各種閱讀的規範和成規之間的對比，也同樣存在著眾多的差異。每一個不同的讀者社群，都有其遵循的閱讀規範和成規，用以定義書籍正當的用途、閱讀方式，以及詮釋的方法和程序。第三組對比，則是不同讀者群體，對自身之閱讀實踐，所賦予的期待和利害考量之間的差異。這些控制閱讀實踐的期待和利害關係，決定了讀者閱讀文本的方式，且因讀者各自的智識能力，及各別與書寫關係的差別，而對同樣的文本採取了不同的閱讀方式。

德瑟鐸在討輪神秘主義者的閱讀特徵時，對上述的研究取徑做了一番解釋：「所謂『神秘主義者的閱讀』，我指的是一整套閱讀的程序；在16和17世紀，一些稱爲『啓蒙』、『神秘』或『靈性』的個人或群體的經驗領域中，受到指導或實踐。」[4] 在這個屬於次要、邊緣，又分散各處的神秘主義社群裡，閱讀乃是依循著特定的規範和習慣；而這些規範和習慣賦予了書籍創新的用途：以之取代被視爲衰頹中的教會體制，並使論述行動(祈禱的論述、與神溝通的論述、交談的論述)成爲可能，且能夠指明構成靈性經驗的實踐行爲。這種與書籍建立起來的神秘聯繫，就像由數個連續的閱讀「時刻」所相接而成的軌跡：首先是通過主體性探索所需的他者性(alterity)經驗；接著，在愉悅之感湧現之後，身體因「咀嚼」文本而產生生理反應，並烙下印痕；過程的最後，則爲終止閱讀、放棄書籍，乃至(與所讀之物)完全分離。因此，試圖理解作爲盜獵者的讀者，複雜多變形象的閱讀史研究，首要的任務，即爲辨識諸如宗教靈性、學術知識，以及各行各業中各種讀者社群，特有的實踐網絡以及閱讀法則[5]。

4　Michel de Certeau, “La lecture absolue (Théorie et pratique des mystiques chrétiens: XVIe-XVIIe siècles)”, in *Prohlèmes actuels de la lecture*, ed. Lucien Dällenbach and Jean Ricardou (Editions Clancier-Guénaud, Paris, 1982), pp. 65-79, quotation p. 67. 此論文的主張也見於 Michel de Certeau, *La fable mystique: XVIe-XVIIe siècle* (Gallimard, Paris, 1982, 1987), esp. in pt 3. “La scène de l’énonciation”, pp. 209-73, 英譯見Certeau, *The Mystic Fable: The Sixteenth and Seventeenth Centuries*, tr. Michael B. Smith (University of Chicago Press, Chicago.1992).

5　有關此研究取徑，見Lisa Jardine and Anthony Grafton, ‘“Studied for

由於閱讀總是意味著要讀點什麼，因此，倘若閱讀史這個領域要能夠存在的話，就必須和被閱讀之物的歷史，有著根本上的分別。讀者的形象，因而在閱讀史的研究上，占有日益重要的分量：「讀者從書籍的歷史當中浮現，他們長期以來融入其中而變得無法識別……，僅僅被視爲書籍的身影。如今，讀者已經脫離了這種角色，從影子中釋放出來，獲得獨立的地位。」[6] 但這種意義不凡的獨立自主，並不等於享盡無限的自由。讀者不僅受到規範特定群體實踐的約定和成規局限，也受所閱讀文本的論述和物質形式限制。

麥肯錫(D. F. McKenzie)所言：「新讀者成就新文本，而其新意義，乃是其新形式之作用」[7]，爲理解讀者與書籍在閱讀史研究上的關係，提供了思考的線索。他在這句話中，洞察入微地注意到了兩組變化，即讀者的社會文化資源的變化，與文本和其形式之接納機制的變化。任何以復原文本捉摸不定的多重意義爲己任的歷史研究，都不能不考量這兩組變化。我們能從麥肯錫這句名言中學到幾件事：(1)注意區別形形色色，並因人而異的閱讀方式之間的差異。(2)掌握讀者之中最爲常見的實踐行爲。(3)注意藉由改版，將舊文本提供給文化水準較低，但人數更多的新讀者的出版策略。

麥肯錫的洞見，凸顯法國書籍史研究近二、三十年來發展的局限之處。法國書籍史專注於衡量書籍，在舊制度法國各個社群中的分布情形，建立了足以揭示社會中文化差距的判準指標。這些指標

(續)

Action': How Gabriel Harvey Read His Livy", *Past and Present*, 129 (November 1990). pp. 30-78.

6 Certeau, "La lecture absolue". pp. 66-7.

7 D. F. McKenzie, *Bibliography and the Sociology of Texts*, The Panizzi Lectures, 1985 (The British Library, London, 1986), p.20.

以遺囑清單爲主，對擁有書籍者的社會分布及其藏書的分類與主題，進行清查與描述。這種研究16-18世紀間法國人讀物的做法，最重要的貢獻，在於建立資料庫、勾勒數量的上下限，以及檢視社會差異在文化活動上的對等表現。

就在上述的研究步驟，受到書籍史家們(包括本書作者)集體採用的過程中，關於近世法國人所讀之物的歷史知識，也逐漸累積成果，使進一步的考察成爲可能。然而，書籍史家慣用的研究步驟中，存在令人質疑的預設觀念。首先，書籍史研究由於極爲重視社會圖示的做法，因而在面對文化差距的問題上，不假思索地按照判定社會分際的先驗原則做處理。此先驗原則即研究者所認知和操作的社會對比，不論是支配者／被支配者，或菁英／庶民這類大範圍的對比；還是較小範圍的，如根據出身或職業的區別，或財富的等級，以對比社會團體之間的層級位階。研究者假設，藉由這些對比所決定的社會分際，也同樣適用於說明物品持有的分配不均，以及行爲舉措的各種差異。我認爲必須翻轉這樣的看法，不從階級或團體著手，而是反向地從物品出發，如此才可能更眞確地掌握特定類別的文本或出版品，流通的社會範圍。由此可見，落實於書籍史領域的法國式社會文化史研究，由於長期以來抱持實際上阻礙認識社會文化現象的觀念，太過於著重社會職業的分類，以致忽視了其他可能更適於解釋文化差距的社會差異原則。同樣的問題，也出現在以性別、世代、宗教團體、社群歸屬、教育或行會傳統等等，區別形形色色文化實踐的做法。

除此之外，習慣運用系列資料和社會史方法的法國書籍史，還有另一個局限，就是認爲文本的分類範疇與文化形態相符應，故某一類別的文本即可顯示其相應、專屬的讀者群的心態與文化。據此觀點所做的研究，犯下兩個把問題簡化的錯誤。一是將差異等同於分配不平均；二是忽視了文本是透過讀者使用或挪用的過程才取得意義。爲了修正這些導致錯誤歷史認知的做法，我提議幾個研究重點的轉移。首先，對於社會中最多人分享使用的物品，必須重新確認其不同用途之間的區隔與分別。史學界過去很少注意，在法國舊制度時期的社會裡，庶民與非庶民身分的讀者，其實共享**相同的**文本。身分低微的讀者，事實上也擁有原本不是以他們爲接納對象的書籍，例如義大利費里里(Friuli)的磨坊主曼諾奇歐(Menocchio)、洛林的牧羊人杜瓦(Jamerey Duval)，以及巴黎玻璃工梅內塔(Ménétra)[8]。所以有此現象，是因爲有些精明而有膽識的書商兼出版商，將原本只在富裕有教養的小圈子裡流傳的文本改版，使它們得以爲更廣大的客層消費(例如卡斯提爾的散裝書〔pliegos suelto〕、加泰隆尼亞的plecs，以及英國的叫賣書〔chapbooks〕或以《藍皮文庫》〔*Bibliothèque bleu*〕的特殊稱呼聞名的法國出版類型)。因此，重點是要去了解同樣的文本，如何以不同的方式被取得、掌控和理解。

---

8 Carlo Ginzburg, *Il formaggio e i vermi: Il cosmo di unmugnaio del '500* (Einaudi, Turin, 1976), 英譯本見*The Cheese and the Worms: The Cosmos of a Sixteenth-Century Miller*, tr. John and Anne Tedeschi (Johns Hopkins University Press, Baltimore, 1980); Jean Hébrard, "Comment Valentin Jamerey-Duval apprit-il àlire? L'autodidaxie exemplaire", in *Pratiques de la lecture*, ed. Roger Chartier (Rivages. Marseilles. 1985), pp. 24-60; *Jouma de md vie,Jacques-Louis Ménétra, compagnon vitrier au XVIIIe siècle*, presented by Daniel Roche (Montalba, Paris, 1982)英譯本見 Jacques-Louis Ménétra, *Journal of my Life*, with an introduction and commentary by Daniel Roche, tr. Arthur Goldhammer, foreword by Robert Darnton (Columbia University Press, New York, 1986).

由於人們閱讀文本的方式，隨時間向度和社會向度的改變而有所不同，故我提議的第二個重點的轉移，在於重建構成文本閱讀方式的實踐網絡。閱讀並不僅僅是一種抽象的腦力運作；它還是個運用身體的活動，在實際的空間中建立與自身或與他人的關係。這便是爲何我們必須特別關注，那些已在當今世界消失的閱讀方式。高聲朗讀便是其中一個例子。它曾具有兩項功能：一是在文本和無法透過默讀理解文意，或不識字的人之間，搭起溝通的橋梁；二是鞏固私人領域裡聯繫人際關係的形式。這些形式體現了家人關係的親密特質、上流社會對於宴會交際的愛好，或文人之間的交流默契。是故，在閱讀史的系譜上，絕對不只有我們現在僅用眼睛、沉默閱讀的方式。對這些已經消逝的閱讀實踐進行歷史考察，或許最爲關鍵的，是重新認識已爲人遺忘、不復存在的動作和習慣。其重要性在於，除了揭示對我們來說遙遠且陌生，但在過往相當普遍的實踐，也揭露了在過去的文本中，暗示讀者如何閱讀的組織結構。16和17世紀出版的著作，不論是否屬文學性質，其預設的閱讀方式常是將文本讀出聲音；故其設想的讀者也同時是文本的聆聽者。對要求讀出聲音的作品而言，耳朵和眼睛具有同等重要的地位，因而作品設計必須符合口述「表演」要求的形式與方法。許多例子都可看到維繫文本與念讀聲音之間連結的做法，例如《唐吉訶德》劇情的安排，或是《藍皮文庫》文本的組織結構[9]。

9　Roger Chartier, "Loisir et sociabilité: Lire à haute voix dans l'Europe moderne", *Littératures classiques*, 12 (1990). pp. 127-47,英譯見 "Leisure and Sociability: Reading Aloud in Early Modern Europe", in *Urban Life in the Renaissance*, ed. Susan Zimmerman and Ronald P. E. Weissman (University of Delaware Press. Newark, and Associated University Press, London and Toronto, 1989), pp. 105-20.

「不論作者做了什麼，他們並未撰寫書籍；書籍根本不是被寫出來的，它們是被抄寫者和其他工匠、技工、技師，以及印刷機和其他機器製造出來的。」[10]我以這段話作爲我所提出，第三個重點轉移的引子。雖然過去的文學研究和量化式書籍史，都促成文本意涵與任何物質形式都無關係的印象。但事實上，從來沒有文本可以脫離它賴以被閱讀(或聆聽)的載體而存在。因此，任何對文本的理解，都需要依賴文本的物質形式。這意味我們必須區分兩組機制，其一爲寫作策略和作者意圖；其二爲出版商的決策和印刷作坊的限制。

事實上，作者的確並未撰寫書籍，他們撰寫的是抽象的文本，承載於手抄、雕刻、印刷，或今日才有的數位化書寫載體之上。正是在抽象文本與具象載體之間的落差，構成了著作產生意涵的空間。這個對作品意義的理解來說至爲重要的關鍵，在過去經常受到忽視。認爲印刷形式不具任何重要性的傳統文學史便是如此。至於「接納美學」(aesthetic of reception)理論，雖然渴望捕捉讀者經驗的歷史特性，卻將文本所發送的「符號信息」(連同既有的文學成規)，和作爲文本接納對象的讀者群之「期待視域」(horizon of expectation)，也就是著作受到接納的條件之間，視爲無物質因素媒介的純粹關係。根據這種看法，文本的意涵和作爲文本載體的物質形式毫無關聯[11]。然而，如前述討論指出，正是這些物質形式形

---

10 Roger E. Stoddard, "Morphology and the Book From an American Perspective", *Printing History*, 17 (1990), pp. 2-14.

11 關於讀者接納理論(Rezeptionstheorie)的定義，見Hans Robert Jauss, *Literaturgeschichte als Provokation* (Suhrkamp Verlag, Frankfurt, 1974), 法文版見*Pour une esthétique de la réception* (Gallimard, Paris, 1978), 英譯本見*Toward an Aesthetic of Reception*, tr. Timothy Bahti, introduction by Paul

塑了讀者的預期心理、暗示文本的新讀者和新用途。

爲了更清楚闡述這個觀點，我們必須回到本章一開始所提出之文本、書籍和讀者之間的連結關係。這項三邊關係中的各種變化，可歸納出幾個德瑟鐸所說，在「可讀的空間」和「作用過程」之間連結的形態。第一個形態牽涉到，文本即使文字內容不變，但若使讀者得以閱讀的印刷形式改變，文本受到接納的脈絡也會隨之變動。麥肯錫對英國戲劇家康格利夫(William Congreve, 1670-1729)的劇作所做的研究，便揭示了看似微不足道的印刷形式的改變，如何對著作的地位產生顯著而重要的影響。康格利夫在發行於18世紀初期的劇作版本中，採用新穎的印刷設計，諸如從四開版變成八開版、場景編的號、每幕場景之前裝飾圖案的使用、每幕場景開頭的人物介紹、書頁邊緣對開口說話的角色爲誰，以及人物出場和退場的提示等等，使其劇作提升到經典名著的地位。不僅新的可讀性由更爲方便翻閱的開數，以及再製某些像是舞台走位的版面設計創造出來，更打破了英國長期以來，印刷劇作無須重現實際劇場的成規。由此可見，即使文本一字不變，印刷形式的改動，便足以形成閱讀同一份文本的新方式，同時也提供了新的接納條件，改變了作品的文學地位。出版於1710年的八開版，正因援用法國戲劇的版本設計，才賦予了康格利夫的劇作前所未有的正統地位。康格利夫也在其作品躋身文學經典行列之後，對文本各處進行修改，俾使其格調更爲符合新印刷版面的尊貴派頭[12]。因此，僅僅是文本外觀形式

(續)

de Man (University of Minnesota Press, Minneapolis, 1982).

12 D. F. Mckenzie, “Typography and Meaning: The Case of William Congreve”, in *Buch und Buchhandel in Europa im achtzehnten Jahrhundert: The Book and the Book Trade in Eighteenth-Century Europe,* Proceedings of the fifth

的變化，便能改變文本價值的參照脈絡，及其受到詮釋的方式。

同樣有關印刷形式，更大規模的變化，是16-18世紀之間發展出的「白對黑的決定性勝利」(the definitive triumph of white over black)[13]。即相對過去行句之間不間斷的排版形式，這段時期印刷的書頁上，多增加了段落等形成的空白空間。藉由切分文本所用的章節，與分段、換行或空行後另起一段等排版上的操作，文本便呈現了分段有致的視覺效果，論述的秩序因此得以清晰可見。於是同樣文字內容的文本，在出版商的新排版設計下，便有了新的閱讀方式。

例如《聖經》的閱讀，就因爲這種切分文本的設計，而產生了深刻的轉變。洛克(John Locke, 1632-1704)便對《聖經》分章節的新做法深感困擾。在他看來，這種做法冒著刪除神之話語有力連慣性的風險。談到《保羅書》時，他認爲：「不只是一般人僅將《聖經》的某一節奉爲金科玉律，連擁有更高深知識的人，在閱讀的時候都會錯失它原本的力道和連續性的力量，以及隨之而生的啓發。」事實上，打散《聖經》的影響可以說是災難性的，因爲每個教派都能在《聖經》的某些段落中找到立論的佐證，從而賦予自身立足的正當性：

> 倘若《聖經》能夠以它原本的模樣印刷出版，其中原

(續)

Wolfen büttler Symposium, 1-3 November 1977, ed. Giles Barber and Bernhard Fabian (Dr Ernst Hauswedell, Hamburg,1981), pp. 81-126.

13 Henri-Jean Martin with Bruno Delmas, *Histoire et pouvoirs de l'écrit,* (Librairie Académique Pernn, Paris, 1988), pp. 295-9, 英譯即將出版 (University of Chicago Press, Chicago).

> 來的幾個部分都不加更動，並還原論點本來依據的，連續不間斷的論述發展，那麼，我毫不懷疑許多教派會加以反對。就神聖書籍的出版來說，分明章節是既創新、又危險的改變……而他(某個教派的成員)所求的只是聖經的某一節，其中包含可以攫取的語詞表述……他所屬的信仰體系就能挪用這些話語，爲其教派建立正統地位，他的看法立刻就變得堅強而不容辯駁。文句失去原本章法的後果，就是《聖經》被打散成數節，每節都迅速成爲獨立的金科玉律[14]。

文本、書籍與讀者三邊關係互動變化的第二個形態，牽涉到當文本從某種出版類型轉變成另一種之時，文本文字內容伴隨的改變，以及新讀者群的形成。最明顯的例子就是法國的《藍皮文庫》。這一出版類型的書籍長期受到法國史學家的矚目，因爲它們似乎提供了能夠直探舊制度「庶民文化」的途徑。過去史家認爲，這類大量流通於社會底層的書籍，表達且豐富了庶民文化[15]。但實際情況遠非如此簡單。問題主要出在三個方面。首先，很明顯地，《藍皮文庫》裡收錄的作品，從來不是爲了要彰顯或豐富庶民文化而寫就

14　Quoted in McKenzie, *Bibliography and the Sociology of Texts*, pp. 46-7.

15　關於這個議題重要但非絕無爭議的著作，見Robert Mandrou, *De la culture populaire aux XVIIe et XVIIIe siècles: La Bibliothèque bleue de Troyes* (Stock, Paris, 1964; new ed., Paris: Imago, 1975).有關此著的批評，見Michel de Certeau, Dominique Julia and Jacques Revel, “La bcauté du more: Le concept de ‘culture populaire’”, *Politique aujourd’hui* (December 1970), pp. 3-23, reprinted in Michel de Certeau, *La culture au pluriel* (1972), 2nd edn (Christian Bourgeois, Paris, 1980), pp. 49-80.

的。《藍皮文庫》乃是出版商發明的一種出版策略，從過去已出版的文本中，選出最有可能滿足他們所預設廣大讀者客層期望的文本，予以改版之後印刷發行。因此，有兩點必須注意：一是不要把當時常見的藍皮書籍視爲「庶民文化」的表達，因爲不論是就其內容還是主旨來說，它們原本皆屬於菁英的著作。二是這些文本通常在成爲庶民讀物之前，早已有一段很長的出版歷史。

對這些「庶民」著作所做的研究，因此便能指出，單憑形式和物質層面的安排，就已顯示出版之著作的文化區別。《藍皮文庫》的基本特徵在於，書商兼出版商對收錄其中的文本進行改版，使它們能被新版本鎖定的廣大客層閱讀。在改版的過程中花費大量勞力所做的修改，諸如刪削、簡化、打散文本以及加入插圖等，取決於對市場有敏銳洞察力的書商兼出版商，如何預設顧客的能力和期待。因此書籍的組織結構，乃是由出版商所預設讀者的閱讀方式所決定。

這種出版商預設的閱讀方式，提供了可資讀者辨識的線索與安排，如預期有吸引力的標題、概略的摘要、木刻插圖等，功能就像是閱讀的格式(protocol)，或古希臘「記憶術」(the arts of memory)中以建築物組成的參照*，引導讀者閱讀的方向。由《藍皮文庫》的編排設計便可看出，其鎖定的讀者，乃是只對文字段落簡短的文本感到自在的升斗小民。對這類庶民讀者來說，文本內容即使因縮

---

* 〔中譯註〕記憶術(mnemotechnics)乃古希臘眾多藝術科門之一，與雄辯術關係密切，目的在使演說者把長篇講稿背得一字不漏。記憶術主要是利用建築場所幫助記憶，將欲記之事物，在腦中逐一安放在想像或實際建築物中的各個位置，然後便可在需要時，逐一到這些記憶中的場所去尋找安置在其中的東西。

減、截斷而僅具最低程度的連貫性，他們也感到心滿意足。當然，這與當時有學養之人的閱讀方式大異其趣，不過這並不表示《藍皮文庫》是專屬庶民的讀物，因爲當時的菁英人士也會購買這類書籍，不覺此舉有失身分。像《藍皮文庫》這種以庶民爲對象的產品，在內容和出版形式的設計上，自然必須顧及讀者原本熟悉的故事格套。出版商藉由重複極度固定的格式，使讀者本來熟悉的主題，反覆出現在不同的作品中，連同相同插圖的一再使用，讀者因而得以將曾接觸過的文本所形成的親近感，用於理解新出版的讀物。《藍皮文庫》於是形塑了一種從書中尋獲熟悉感，更甚於發現新知的閱讀行爲。其特殊的形式外觀，以及出版商加諸在所採用著作內容上的修改，才是顯示此類書籍「庶民」特質之處。

我之所以重新評估《藍皮文庫》，目的不只是要更深入了解這種在法國舊制度時期，對於書寫文化之交融適應最具影響力的工具[16]。我更要指出，社會文化差異的確認，和形式與物質機制的研究之間，絕非互斥，而是必然相關。所以如此，並不只是因爲書籍的形式，乃是依據出版商所預設讀者群的期待和能力而設計。最重要的原因是，著作及其物質載體造就社會接納區塊(social area of reception)的重要性，要大於既定之社會分際，對書籍之社會分配

16 Roger Chartier, “Les livres bleus” and “Figures littéraires et expériences sociales: La littérature de la gueuserie dans la Bibliothèque bleue”, in his *Lectures et lecteurs dans la France d’Ancien Régime* (Editions du Seuil, Paris, 1987), pp. 247-70. 271-351, 英譯分別見於“The Bibliothèque bleue and Popular Reading” and “The Literature of Roguery in the *Bibliothèque bleue*”, in Chartier, *The Cultural Uses of Print in Early Modern France,* tr. Lydia G. Cochrane (Princeton University Press, Princeton, 1987), pp. 240-64; 265-342.

的影響。李汶(Lawrence W. Levine)的研究爲此提供了一個絕佳的範例[17]。他對莎士比亞的劇作在19世紀美國製作上演(常與其他類型的戲劇摻雜在一起，例如悲喜劇、笑鬧劇、雜耍、舞蹈等等)的研究，揭示了這種戲劇表演的方式，如何創造出一大批在菁英之外的「庶民」觀眾，以及他們如何透過情緒和反應，與舞臺上的表演產生積極的互動。這種情況，直到19世紀末，在類別、風格，和場所之間，建立起嚴格的區分，將原先包羅各個社會階層的觀眾分割爲二之後，才發生改變。其中莎士比亞被保留給「正統的」劇院和一批少數菁英觀眾；其他人則被區隔至「通俗」娛樂的領域。李汶將莎士比亞戲劇演出形式的轉變(交響曲、歌劇和其他藝術作品也是如此)，稱之爲「文化區分」，用以描述美國19世紀各類文化活動在交雜、共享一段時期之後，如何進入一個通過文化區別的過程造就社會區隔的時期。莎士比亞的戲劇在美國因表演形式的不同，而造成觀眾的社會區隔，其實和《藍皮文庫》因「印刷排版」改變而造就新讀者的機制異曲同工。在這兩個例子裡，文本都被挪至其作者未曾考慮過的文化脈絡之中、爲作者從未設想過的讀者所用，因而產生了在菁英看來並不得體的閱讀行爲和理解方式。

這兩個例子使我們了解，文化差異並非反映靜止固定的社會劃分，而是在動態的作用過程中形成。一方面，文本載體的形式和接納機制的轉變，使新的挪用方式成爲可能，因此創造出新的讀者群

17 Lawrence W. Levine, “William Shakespeare and the American People: A Study in Cultural Transformation”. *American Historical Review,* 89 (February 1984), pp. 34-66; Levine, *Highbrow/Lowbrow: The Emergence of Cultural Hierarchy in America,* The William E. Massey, Sr Lectures in the History of American Civilization, 1986 (Harvard University Press, Cambridge, Mass. and London, 1988).

和書籍的新用途。另一方面，整個社會共享相同物品的事實，也會導致對新區別的追求，以期能標誌出財富或地位的差距。舊制度法國印刷品的轉變軌跡便爲此做了見證。各種閱讀方式之間的區別，似乎隨印刷品的普及和管制的放鬆而變得更爲加強。長久以來，書籍的擁有與否標誌著文化的差距；而隨著印刷品的普及，閱讀的姿勢和書頁的排版漸漸成爲新的指標。擁有裝訂精美書籍的讀者熟練自信的閱讀風采，因此就與手持廉價書籍的讀者搔首踟躕的窘態，形成強烈的對比。

然而，正如我們所見，菁英和庶民常常閱讀相同的文本，其使用方式的差異，產生了多樣又相互矛盾的意義。如此一來，爲何有些文本比其他文本流傳時間更久，且使用方式更多元[18]？或至少爲何出版商認爲，它們能滿足彼此之間差異甚大的不同讀者群體的需求？這個問題的答案，必須從著作的組織結構，和各式各樣制度性與物質性的決定性因素之間，微妙的關係當中探得。前者限制了所有讀者對文本加以「再挪用」(reappropriation)的能力與方式；後者則在各種不同的歷史情境下，對文本可能之「應用」(用詮釋學〔hermeneutics〕的話來說)施以規範。

接下來探討文本、印刷和閱讀之三邊關係的第三種形態；這牽涉到文本在文字與形式皆固定不變的情況下，新讀者卻以不同於以往的閱讀方式加以領會。「書籍之所以改變，不是因爲本身有何轉變，而是因爲世界在變。」[19]這一句話，可以提綱挈領地表達這個

18　近來關於此問題的重新探討，見David Harlan, "Intellectual History and the Return of Literature", *American Historical Review*, 94 (June 1989), pp. 581-609.

19　Pierre Bourdieu and Roger Chartier, "La lecture: Une pratique culturelle", in

論點。若改寫成「……而是因爲閱讀模式在改變」，則更能符合本章討論的要旨。這段足以坐實閱讀實踐歷史研究的文字，目的是尋求確認，能賦予相同文本不同意義的幾組主要對比。同時也有必要質疑這些構成對比的劃分，所依據的觀念或假設。我先挑出三個最重要，且通常被視爲理所當然的對比。第一個，是透過大聲朗讀或低聲唸讀以理解的口語化閱讀，和僅僅依賴視覺的靜默閱讀之間的對比[20]。雖然有時代上的爭議，還是讓我們回顧德瑟鐸關於讀者的自由和沉默閱讀的論點：

> 過去三個世紀以來，閱讀已經成爲一種眼睛的動作。它已經不再如過去那般，伴隨著聲音的呢喃和肌肉的咀嚼。默不出聲，或至少不喃喃自語的閱讀，乃是一種「現代」的經驗，過去幾千年來並不爲人所知。在較早的時代裡，讀者將文本內化；他把他的聲音當作另一個人的身體，而他自己則是這個身體的表演者。今天，文本不再將其韻律加諸在閱讀主體之上，也不再透過讀者的聲音表現。作爲讀者自主之條件的身體的隱退，乃是一種對文本的疏遠，就如同讀者的人身保護令(habeas corpus)[21]。

(續)

Pratiques de la lecture, ed. Chartier, pp. 217-39.

20 Paul Saenger, "Silent Reading: Its impact on Late Medieval Script and Society", *Viator, Medieval and Renaissance Studies,* 13 (1982), pp. 367-414; Saenger, "Physiologie de la lecture et séparation des mots". *Annales E.S.C.* (1989), pp. 939-52.

21 Certeau, *L'invention du quotidien,* pp. 253-4, quoted from Certeau. *The Practice of Everyday Life*, pp. 175-6.

第二個，則是「專注的閱讀」和「廣泛的閱讀」之間的對比。「專注的閱讀」指的是對於爲數不多的作品，依賴聽覺和記憶，並心懷敬畏地閱讀。而「廣泛的閱讀」則指漫不經心地大量瀏覽文本，對讀物的神聖性也較不在意[22]。第三個對比，是將構成私領域要件的隱密、封閉與獨處的閱讀，對比於社會各個群體不論爲順服或反抗立場的集體閱讀[23]。

這些通常被視爲理所當然的對比，隱含著一種線性的時代觀念，要不是將靜默閱讀視爲中世紀以來逐漸進步的結果，就是認爲要到18世紀末才進入廣泛閱讀的時代。這些對比讓我們反省，是否能透過一些觀念上的改變，來設法修正這些對比中太過簡單的二分法。我們必須將關注的焦點，從每一組對比的兩端，轉移到中間存在的差距層次；也就是在太過粗率地區分不同閱讀方式的判準中，納入漸層的細微觀察，並改變像集體等同於庶民，或菁英等同於私人，這類自然而然的聯想[24]。另外，我們還必須反省以下三個長期

---

22 Rolf Engelsing, "Die Perioden der Lesergeschichte in der Ncuzeit: Das statistische Ausmass und die soziokulturelle Bedeutung der Lektüre", *Archiv für Geschichte des Buchwesens,* 10 (1970). pp. 945-1002; Erich Schön, *Der Verlust der Smnlichkeit, oder, Die Verwandlungen des Lesers: Mentalitätswandel um* 1800 (Klett-Cotta, Stuttgart, 1987).

23 Philippe Ariès, Pour une histoire de la vie privée' and Roger Chartier, "Les pratiques de 1'écrit", in *Histoire de la vie privée,* ed. Philippe Ariès and Georges Duby, 5 vols (Editions du Seuil. Paris. 1985-7). vol. 3, *De la Renaissance aux Lumières,* ed. Roger Chartier. pp. 7-19 and 112-61, respectively, available in English as Ariès, "Introduction" and Chartier. "The Practical Impact of Writing", in A *History of Private Life,* tr. Arthur Goldhammer. 5 vols (Belknap Press of Harvard University Press, Cambridge, Mass. and London, 1987-91), vol. 3. *Passions of the Renaissance,* pp. 1-11 and 111-59.

24 見 Robert Darnton, "First Steps Toward a History of Reading", *Australian*

轉變的面向之間的連結關係，縱使目前尚未對這三項轉變的影響，提出令人滿意的分析與解釋。第一個面向是關於文本複製技術的「革命」(從手寫文化到印刷文化的轉移爲其中最早的革命之一)；第二個面向爲書籍形式的改變(從捲軸書〔volumen〕到西元初期幾個世紀的翻頁書〔codex〕是最根本的變化，還有其他發生在16-18世紀間較微小的改變，如印刷頁面視覺外觀的修改)[25]；第三個面向爲閱讀技巧和閱讀模式大規模的改變。這三項分別爲技術、形式，和文化的長期轉變，並不是以相同的步調發展，也各有其自身的轉捩點。今日閱讀史研究所提出，也是其所面對最爲有趣的問題，便是這三項轉變之間的關係。

若要理解這三者之間的關聯性，顯然必須重新評估史學研究長期以來，視爲舊制度社會特徵的文化軌跡和劃分。雖然過去研究未多強調，但事實上，文化軌跡的識別和劃分，通常依賴書寫物呈現的情形，並以兩種方式衡量。其一，根據簽名數量的統計估算識字率，並依照年齡、地點、性別和地位，衡量社會整體閱讀能力的變動；其二，藉由仔細整理與分析公證人或書商記錄的私人藏書清單，評估書籍的流通範圍和閱讀的傳統。

然而，就如我們現在的社會一樣，在法國舊制度時期的社會

(續)

Journal of French Studies, 23. 1 (1986), pp. 5-30.

25 Roger Laufer. “L’espace visuel du livre ancien”, in *Histoire de l’édition francaise*, ed. Henri-Jean Martin and Roger Chartier. 4 vols (Promodis. Paris. 1982-6). vol. 1. *Le livre conquérant: Du Moyen Age au milieu du XVIle siècle* (1982). pp. 579-601. reprint edn (Fayard/Cercle de la Librairie, Paris. 1989). pp. 579-601; Laufer. “Les espaces du livre”. in ibid., vol. 2, *Le livre triomphant: 1660-1830* (1984). pp. 128-39, reprint edn (Fayard/Cercle de la Librairie, Paris. 1990), pp. 156-72.

中，印刷品的取得，不能僅僅用書籍的擁有與否來判斷。人們所閱讀的書籍並不一定是自己所有，放在家中的印刷品也不一定就是書籍。此外，書寫物在不識字者的文化中，也占有非常核心的地位，在儀式、公共空間和工作場所之中，都能見到其蹤跡[26]。藉由口語和圖像的輔助，即便對沒有能力閱讀的人，或憑自身摸索而能稍有理解的人來說，讀取書寫文字也並非遙不可及。所以，識字率無法精確估計人們對書寫文字的熟悉程度。更有甚者，在現代早期的社會中，閱讀和書寫的學習並非同時進行，而是先學閱讀，再學書寫。因此，許多受過初級教育者(尤其是婦女)，雖然在離開學校前學會了一點閱讀，但卻不會寫字[27]。所以，針對那些過於貧窮，以致不能擁有任何形式「藏書」的底層民眾，私人書籍的擁有與否，也並不適合作為衡量他們對印刷文本使用率的指標。

即使完全不可能估計那些不能簽自己的名字，也不擁有任何書籍(或至少沒有任何草擬清單的公證人認為值得估價的書籍)，但能讀告示、海報、報紙和叫賣書的讀者的數目，我們仍然必須主張他們的數量相當龐大，否則便無法理解文字印刷品，帶給仍然以口語、行為舉止和圖像，為主要溝通模式之文化的衝擊與影響。事實上，在言說與書寫兩種截然不同的表達與溝通模式之間，存在著各式各樣的契合與交融。先從書寫和行為舉止的關聯談起。書寫文字

26　見*Les usages de l'imprimé (XVe-XIXe siècle),* ed. Roger Chartier (Fayard, Paris, 1987), 英譯見Chartier, *The Culture of Print: Power and the Uses of Print in Early Modem Europe*, tr. Lydia G. Cochrane (Princeton University Press, Princeton, 1989).

27　Margaret Spufford. "First Steps in Literacy: The Reading and Writing Experiences of the Humblest Seventeenth-Century Autobiographers". *Social History,* 4, 3 (1979), pp. 407-35.

不僅在城市慶典或宗教儀式之中，扮演核心的角色，更有許多文本論述的目的，是指導讀者的行爲舉止，以圖在實踐層面上，產生符合社會或宗教規範的行爲。社交禮儀的書籍就是很好的例子，其目的便是使人們體現符合上流社會要求的社交禮節，和基督教的禮儀規範[28]。

至於言說與書寫之間的契合，我想可以以下兩種情形概略說明。其一，由作者或出版商(更爲常見)設定，以庶民讀者群爲銷售對象的文本，所採用的格套和主題，通常直接來自於說故事和背誦的文化傳統。如同有些「快報」(occasionnels)的寫作，模仿自說書者的口語表達方式；或是《藍皮文庫》版本童話故事(全都源自文學作品)的各種變形，都是口語表達與印刷物契合的好例子[29]。其二，如前述討論所言，許多「讀者」必須透過自己或他人口讀的中介，才能領會文本。理解口語與書寫文字之間關係的特殊性，使我們認識到閱讀並不盡然都是私密、獨處以及靜默的；恰好相反，

---

28 Giorgio Patrizi, "*Il libra del Cortegiano* e la trattatistica sul comportamento". in *Letteratura italiana,* ed. Alberto Asor Rosa. 8 vols (Einaudi, Turin. 1984), vol. 3. *Le forme del testo,* pt. 2, *La prosa,* pp. 855-90; Roger Chartier, "Distinction et divulgation: La civilité et ses livres". in Chartier, *Lectures et lecteurs dans la France d'Ancien Régime,* pp. 45-86. available in English as "From Texts to Manners: A Concept and Its Books: *Civilité* between Aristocratic Distinction and Popular Appropriation", in Chartier, *The Cultural Uses of Print in Early Modern France,* pp. 71 -109.

29 例如：Roger Chartier, "La pendue miraculeusement sauvée: Etude d'un occasionnel". and Catherine Velay-Vallantin, "Le miroir des contcs: Perrault dans les Bibliothèques bleucs". in *Les usages de l'imprimé,* ed. Chartier, pp. 83-127 and 129-55, 英譯見"The Hanged Woman Miraculously Saved: An *occasionnel*" and "Tales as a Mirror: Perrault in the *Bibliothèque bleue*", *in The Culture of Print,* ed. Chartier, pp. 59-91 and 92-136. respectively.

我們必須正視大聲朗讀這個在今日幾乎爲人遺忘的實踐，曾在過去社會中具有的重要性和多樣性。

藉由上述的討論，我們得以窺見印刷文化在舊制度社會中強大的滲透力，並進一步探索其他面向的問題。首先，印刷文化的強大滲透力，能夠解釋爲何所有意圖規範行爲和控制思想的權威，都對書寫和承載文字的物品極爲重視。正是因爲認知到印刷文字的力量，扮演教育、教化和規訓角色的文本，才會在眾多讀者之間廣爲流傳；也因此必須對印刷品施以控制、檢查的制度，排除所有對宗教和道德秩序可能的威脅。德瑟鐸提醒我們重新確認這些管控和限制的效果，包括各種約束讀者詮釋的因素，從外在的檢查制度，如行政、司法、宗教裁判法庭、學院，到內在於書籍之中的限制機制等等。當個人和批准這些限制的體制或慣例之關係越密切，限制的成效也變得越大(讀者的創造力隨體制或慣例控制力的衰退而成長)[30]。

由於書寫的各種可能用途，和印刷品的各種使用方式都由文本構成，故追蹤文本形式和內容製作的過程，便能辨識出對書籍的生產者來說，有決定性影響的文化區分。書寫和出版的策略，乃是由作者和出版商因應預設讀者的能力和期待的不同，所做出的決定。這些策略在閱讀格式的設計，印刷品的形式，或文本爲了適應不同讀者群而做的印刷改版中，都可以找到蛛絲馬跡。此外，除了存在於上述幾組對比兩端之間的閱讀方式(在文本的閱讀與圖像的閱讀之間；在信手拈來的閱讀與搔首踟躕的閱讀之間；在私密的閱讀與

30 Certeau, L'invention du quotidien, p. 249, 引自 *The Practice of Everyday Life,* p.172.

集體的閱讀之間)之外，我們也應該企圖去了解那些比書籍更低微，但更無所不在的零散印刷品的使用方式，以及其中的調整與改變。這些印刷品從插圖廣告(images volantes)、時事圖解與評註(placards)，到快報(occasionnels)及《小藍皮文庫》(通常有插圖)等所在多有。

歷史上各種閱讀方式彼此之間的差異，表現在賦予文本印刷形式的實際製作層面上，連同在文學、圖像和自傳作品中所呈現，具有規範目的之閱讀方式，一同構成了考察閱讀實踐的基本資料。然而，雖然這些資料顯示對當時人們在思考判斷上有重要影響的劃分，卻也掩蓋了其中較少被察覺到的矛盾。例如布爾喬亞或貴族讀者的獨處私密閱讀，與庶民聽眾的集體閱讀之間的對比，其實未必禁得起檢驗。事實上，對聽眾大聲朗讀，長期以來都是鞏固菁英社交關係的實踐之一；相反地，滲透到窮苦人家核心的印刷品(不盡然是書籍)，雖然毫不起眼，卻也是私生活重要時刻的見證；時而染上一抹帶情感的回憶，或是印上身分的刻記。此外，「庶民」的閱讀方式也和刻板印象不同。「庶民」並不總是群聚在一起，也包括那些在私密卑微的個人實踐中，剪貼快報上的圖像，替印刷版畫上色，和單純爲了娛樂而閱讀叫賣書的人們。

本章所提出的研究途徑(也見於我其他的著作中)，與一個獨特的地域(16-18世紀之間的法國)，以及一個特定的問題(文字印刷品的滲透對庶民文化的影響)緊緊相連。此研究途徑試圖將德瑟鐸所提出的兩個論點付諸實行。第一，反對所有以簡化方式否定閱讀實踐創造力的企圖，強調閱讀從未受到完全的限制，也不是文本直接的反映。第二，強調讀者面對書籍(不論在形式和論述上)施加控制的因應對策(tactics)，仍然受限於書寫的策略(strategies)*、對規則和邏輯體系的服從，以及對格套的仿效，而局限在不同讀者群「各自的空間」(lieu propre)之中**。這反映了所有閱讀史最根本的弔詭之處，也就是說閱讀史必須以實踐的自由爲前提，但最多只能充分地掌握影響閱讀的決定性因素，而難以觸及閱讀實踐本身的歷史。即便如此，若將讀者的群體構築成「詮釋社群」(見Stanley Fish)、識別物質形式如何影響意義，並將閱讀實踐的社會差異放到地域的脈絡下，而非統計的分布圖中理解，對任何希望理解「靜默的生產」，即「閱讀活動」的歷史學家來說，都不失爲開展往後研究的康莊大道[31]。

---

* 〔中譯註〕在此處閱讀史討論的脈絡中，德瑟鐸所操作之讀者「對策」的概念，乃是有意與布赫迪厄提出之「策略」概念對抗；前者強調讀者面對作者和出版商意圖施加之秩序有其因應之道，後者則著重在上對下施加的控制。

** 〔中譯註〕夏提葉此處所言，指的是閱讀的實踐，雖然不是作者、出版商或政府當局，施加在著作意義解讀上之控制的直接反映；但閱讀史也無法指出一個具體明晰的閱讀實踐，因爲讀者太過多元，閱讀的過程又太難追蹤與掌握。且閱讀實踐本身也並非完全的自由，亦有不可避免的局限。因此，閱讀史雖然肯定，讀者的實踐絕對可能超脫權威加諸於著作之上的意圖，但對閱讀實踐的歷史理解，卻弔詭地僅能透過施加控制的權威，如作者、出版商和政府，在書籍中爲其預設讀者設計的論述和印刷形式，以及限制閱讀實踐自由的各種讀者社群規範來理解。

31 Stanley Fish, *Is There a Text in This Class? The Authority of Interpretive Communities* (Harvard University Press, Cambridge, Mass. and London, 1980).

第二章　作者的形象

麥肯錫曾強調書目學(以研究書籍物質層面的古典定義而言)和所有形式的結構主義批評之間的近似性，指出「書目學與結構主義批評的一致之處，正在於它們都將藝術作品或文本，視爲不受外在環境和時代背景影響，獨立自主的個體。就文本意涵的剖析而言，對結構主義批評或書目學的實踐來說，在文本之外的創作和閱讀過程，皆屬無關緊要。」[1] 例如，新批評(New Criticism)和分析書目學(analytical bibliography)都認爲，文本的意涵生成於建立文本的語言，或組織印刷品形式的符號體系中，自主而不受人爲影響的運作機制。所以，書目學和結構主義批評的方法，一方面不曾考量著作受到閱讀、接納和詮釋的方式，對著作意義的建立具有的重要性。另一方面，這兩種方法都以一種宣告「作者已死」(借用羅蘭·巴特那篇著名論文的標題)的立場，認定文本的意涵和作者的意圖之間，不具任何的關聯性。就這個主導英語世界(英國、美國、澳洲、紐西蘭)的觀點而言，書籍史因而成爲一個與讀者、作者都無關的歷史。持這種觀點的書籍史研究，關注的重點在於書籍製造

1　D. F. McKenzie, *Bibliography and the Sociology of Texts,* The Panizzi Lectures 1985 (The British Library, London, 1986), p. 7.

的過程。這個過程可由留在書籍中的物質跡證追蹤，並藉由編輯的決策、印刷工坊裡的操作和印刷業的習慣加以解釋。弔詭的是，雖然書目學在傳統上的首要目標，乃是建立並出版正確而信實的版本[2]，但此專注於書籍物質層面研究的學門，卻對符號學霸權在去除作者的工作上，造成了舉足輕重的影響。

在法國發展的書籍史，由於重視文化與社會的層面，自當與上述盛行於英語系國家的觀點有所不同。法國書籍史家主要的興趣在其他方面[3]。一方面，有些學者感興趣的是生產和銷售書籍的業者，諸如書商、印刷商、排字工、印刷工、活字鑄造工、刻版工、裝訂工等等，著重在重新建構他們的財產情形、合作關係和層級位階。另一方面，也有學者試圖重建書籍的流通、社會上各種群體擁有的書籍在質和量上的差異，以及書籍對心態的衝擊。這種取徑特別青睞以量化方法處理大量的資料，依靠諸如遺囑中的書籍清單、藏書拍賣的目錄，或是有幸在檔案中碰巧找到的書商帳冊等等。此取徑雖然未必能闡釋閱讀實踐，但至少說明了讀者的社會分布情形。有些弔詭的是，法國書籍史在費夫賀(Lucien Febvre)與馬爾坦(Henri-Jean Martin)以「檢視印刷書籍在最初三百年間產生的文化作用與影響」[4]作爲研究的基本議題之下，竟然也像上述盎格魯·

---

2 G. Thomas Tanselle, “Analytical Bibliography and Renaissance Printing History”, *Printing History*, 3, 1 (1981), pp. 24-33.

3 關於法國書籍史的概述，見Roger Chartier, *Frenchness in the History of the Book: From the History of Publishing to the History of Reading,* The 1987 James Russell Wiggins Lecture, Worcester, Mass., American Antiquarian Society, 1988, 法文版爲“De l’histoire du livre à l’histoire de la lecture”, *Archives et Bibliothèques de Belgique/Archief- en Bibliotheekwezen in België,* 10, 1-2 (1989), pp. 161-89.

4 Lucien Febvre and Henri-Jean Martin, *L’apparition du livre* (1958). new ed.,

薩克遜書目學的傳統一般，把作者給遺忘了。在法國發展出的印刷社會史傳統中，向來只看得到書籍的讀者，而沒有作者的面向。或者更精確地說，作者並不在這種研究傳統的範圍之內：作者完全屬於文學史及其他歷史悠久的研究領域，包括傳記、學派或思潮的研究，以及智識環境的描繪。在法國書籍史傳統中，關於作者的研究，和英語系國家的書目學傳統一般地付之闕如。

或許法國書籍史並不是眞的對作者視若無睹，而只是將其他學門對作者的研究看作理所當然。但無論如何，在其研究的實踐面上，作者的技巧和創發，彷彿對文本生產者的歷史而言無關緊要；而文本生產者的歷史，似乎對著作的理解工作來說，也無足輕重。不過，近年來，我們看到了作者的回歸。文學批評已經遠離只關注文本內在符號體系運作的觀點，並試圖將著作放進歷史的脈絡之中。這種策略有很多種形式。例如「接納美學」著重在勾勒著作與其讀者群之間，所共享的成規和背景知識，也就是作品與「期待視域」之間的對話關係。這種方法並不認爲文本的意義穩定一致、永久不變，而是視之爲歷史建構的產物，產生於著作中多少帶有作者意圖的文意安排，與讀者回應間的落差之中[5]。新歷史主義(The New Historicism)則對將文學作品放在實用、司法、政治或宗教等

(續)

L'Evolution de l'Humanité (Albin Michel, Paris, 1971), p. 14, 引自 The *Coming of the Book: The Impact of Printing 1450-1800,* ed. Geoffrey Nowell-Smith and David Wootton, tr. David Gerard (Verso, London, 1984), p. 11.

5　有關這方面的著述極多，容我僅回顧奠基之作：Hans Robert Jauss, *Literaturgeschichte als Provokation* (Suhrkamp Verlag, Frankfurt, 1974),法文本見 *Pour une esthétique de la réception* (Gallimard, Paris, 1978), 英譯本見 *Toward an Aesthetic of Reception,* tr. Timothy Bahti (University of Minnesota Press, Minneapolis, 1982).

「一般性」文本的脈絡之中更感興趣。這類的文本構成了使文學寫作得以操作的原始材料，並使著作的理解成為可能[6]。而文化生產的社會學，以布赫迪厄形塑的概念為基礎，將分析轉向文學、藝術、學院、宗教、政治等特定場域中獨特的運作法則與位階，和在場域中定義的諸多位置之結構關係、這些位置所控制的個人或集體的策略，以及著作本身(就文類、形式、主題和風格而言)生產之社會條件的轉變[7]。麥肯錫更進一步，提出將書目學定義為「文本的社會學」(sociology of texts)，關注文本得以傳送到讀者(或聆聽者)手中的物質形式，如何影響意義建構的過程，並理解諸如印刷書的開數、排版、文本中的斷句或章節切分的方式，以及規範印刷格式的習慣做法等，物質設計上的理由和效果。藉由追蹤這類細節，便可看出作者或出版商，如何透過這些形式的安排來表達其意圖、引導讀者的接納，並限制解釋的空間[8]。

---

6 例如：Stephen Jay Greenblatt, *Shakespearean Negotiations: The Circulation of Social Energy in Renaissance England* (University of California Press, Berkeley, 1988). 有關這方面的概述，見*The New Historicism* ed. H. Aram Veeser (Routledge, New York and London, 1989), 特別是Stephen Jay Greenblatt, "Towards a Poetics of Culture", pp. 1-14.其中說道：「藝術作品乃是創作者或創作者們，與種種社會建制和實踐之間協商下的產物。」

7 例如：Alain Viala, *La Naissance de l'ecrivain: Sociologie de la littérature à l'âge classique* (Editions de Minuit, Paris, 1985). 這種取徑的理論基礎，見於布赫迪厄的奠基之作，特別是Pierre Bourdieu, "Champ intellectuel et projet créateur", *Les Temps Modernes,* 246 (November 1966), pp. 865-906; Bourdieu, "Structuralism and Theory of Sociological Knowledge", *Social Research,* 35, 4 (winter 1968), pp. 681-706; 以及近期著作：Bourdieu, *Les règles de l'art: Genèse et structure du champ littéraire* (Editions du Seuil, Paris, 1992).

8 McKenzie, *Bibliography and the Sociology of Texts,* esp. "The Book as an Expressive Form", pp. 1-21.

雖然上述幾種方法之間有顯著的差異，但它們都重新將文本和其作者，即著作和其生產者的意圖或立場聯繫起來。這種新的研究方向，並不是要去重建一種絕對崇高與孤獨的浪漫主義式作者形象，以作者的意圖決定作品唯一的意義；也不是要以作者的生平事蹟，立即或透明地印證文字的內容。就上述諸取徑而言，作者雖然回歸到文學批評或文學社會學中，但並非文本意涵唯一的主人，因爲將文本製作成書籍的出版商和印刷工，或藉由閱讀將文本挪爲己用的讀者，未必完全服膺於作者的意圖之下。此外，作者也受限於組織文學生產之社會空間中，諸多決定性的因素。這些因素定義了作爲寫作孕育基礎的範疇與經驗。

在批判性問題意識下各種面向的作者回歸，引領我們回到傅柯(Michel Foucault)在他那篇迄今已成爲必要參考的著名論文〈何謂作者？〉(“What is an author？”)中，所提出的問題[9]。在這篇論文中，傅柯將「作者個人的社會歷史分析」，和更爲基本的問題，也就是主要用以區隔、分別論述的「作者功用」(“author-function”)的建構問題，區分開來。對傅柯而言，將著作歸屬於特定的姓名，乃是一種在不同文本之間做區別的方式。然而，這絕不是放諸四海皆準的道理，也不適用於任何時代的所有文本。因爲這種做法只有

9　Michel Foucault, “Qu’est-ce qu’un auteur? ” *Bulletin de la Société francaise de Philosophie,* 44 (July-September 1969), pp. 73-104. reprinted in *Littoral,* 9 (1983), pp. 3-32, 英譯見：“What Is an Author? ” in Michel Foucault, Language, *Counter-Memory, Practice: Selected Essays and Interviews,* ed. and introduction by Donald F. Bouchard (Cornell University Press, Ithaca, NY, 1977), pp. 113-138, 此處引自 Foucault, “What is an Author? ” in *Textual Strategies: Perspectives in Post-Structural Criticism,* ed. Josué V. Harari (Cornell University Press, Ithaca. N.Y., 1979), pp. 141-60, quotations pp. 141, 148, 153, 144, 148, 149.

在某些類別的著作上行得通(「『作者功用』是一個社會內部中某些論述存在、流通和作用之方式的特徵」)。此外，這種做法假定法律確認了作者的刑事責任，和作者擁有著作所有權(literary property)的概念(「作者功用和涵蓋、定義並表明論述空間的司法與制度體系相關聯」)。就傅柯看來，在「作者功用」，「特殊而複雜的運作」之下，著作被賦予統一而連貫的歷史脈絡，並與同樣在歷史中構成的特定主體(也就是作者)建立連結。這種「特殊而複雜的運作」機制，端賴於兩種揀擇過程。首先，針對一個人在一生中寫下的無數文本，僅選取其中能夠適用於「作者功用」的文本。也就是說，從作者無數的書寫當中定義出著作。其次，面對構成一個人生平傳記的無數事件，必須揀選其中能夠恰當彰顯作者自身立場的相關事實。這種觀點和每份文本都有一個撰寫者(redactor)的經驗證據之間，顯然有著一段距離。

傅柯在原版的〈何謂作者？〉(Qu'est-ce qu'un auteur？)一文中，針對以作者姓名區別文本的「作者功用」，在歷史上何時出現以及演變過程，勾勒出三個年代階段。第一個，也是最常爲論者提及的階段，是「18世紀末和19世紀初，文本所有權制度底定，有關作者的權利、作者和出版商的關係、再版權，以及相關事項的嚴格規定皆付諸實施的時代。」然而，這種在作者個人的獨特性，和私有財產制度控制之下的寫作和出版活動之間，顯著的連結，並非「作者功用」的基本原則。「作者功用」存在的歷史更爲悠久，且根植於其他的決定性因素之中。雖然傅柯曾說：

> 我們應該注意到，在歷史上，這種所有權的形態，是出現在所謂的受罰的使用之後。文本、書籍和論述開

> 始眞正有了作者(神話、神格化和神聖性人物不算)，這是就作者擔負了遭受懲罰的風險，或是就論述有所逾越的程度而言。

但傅柯並沒有針對「受罰的使用」(penal appropriation)提出任何日期。事實上，「受罰的使用」的概念，並不是將「作者功用」與規範私人關係的法律規定相連，而是與權威之查禁、審判和懲罰的權力運作連結在一起。以此而言，「作者功用」早在現代之前就已存在。

傅柯實際上也不否認這一點。爲了解釋「『作者功用』並未適用於所有論述」的觀點，傅柯以科學和文學論述在歸屬制度上，於17或18世紀發生互換的根本轉變爲例，指出在此轉換期之後，科學論述的權威乃是基於「科學社群體系對既有事實的一致同意」，而不是歸屬於某一特定的作者*。文學著作則反之：「(在此之後)文學論述，只有當被賦予『作者功用』時，才會爲人接受。」傅柯認爲在17、18世紀之交發生這種現象之前，情況恰好相反：

---

* 〔中譯註〕17世紀的科學著作，開始區隔作者與作者操作實驗所生產出的「事實」。因爲作者只不過是發現了既有的「事實」，所以在忠實描述實驗過程與結果之外，其個人的意見、背景或修辭，皆不應影響「事實」的呈現。而實驗所生產出的「事實」既然並非作者的心血或創獲，自然不能由作者獨攬，必須由科學社群成員集體認可。除此之外，「不求名利」(disinterestedness)也是影響科學著作匿名傾向的因素。如牛頓(Isaac Newton, 1642-1727)便謙稱他的成就只不過是發現了失落的「原初智慧」(prisca sapientia)而已。然而，這種與前代斷裂的轉變不應被過度誇大，因爲早在中世紀，許多探討自然現象的「科學」著作，就已經以匿名方式呈現；經院哲學的類抄實踐，也加強了這種抹除個人色彩，強調知識普世性的傾向。而在17世紀，即便科學著作有匿名的趨勢，實驗結果需由貴族以其名號背書，仍是很普遍的現象。

> 在過去的一段時期之中，我們今日所稱的「文學」(敘述、故事、史詩、悲劇、喜劇)，是在不講求作者身分的情況之下受到接納、流通和評價的；因此匿名並未造成任何麻煩。不論是眞是假，年代久遠乃是著作地位充分的保證。而在另一方面，那些我們現在稱爲科學的文本，也就是那些探討宇宙與天文、醫藥與疾病、自然科學與地理學等等的著作，在中世紀的時候唯有冠上古代權威作者的鼎鼎大名，才是信實可徵的保證。

我在此處的意圖，並不是要論辯傅柯在他的文章中所指出的改變是否確有其事；重點在於，他確認了對某些類別的文本來說，「作者功用」早在中世紀就已發揮作用。當然我絕不會將傅柯的想法簡化爲一成不變的公式；他從未主張在著作所有權和「作者功用」之間，或在標誌我們社會的所有權體系，和建立在主體(作者)範疇之上的文本歸屬制度之間，只有一種獨一無二的連結。藉由將作者的形象拉回到歷史之中，並使之與控制文本流通或賦予其權威的機制相連，傅柯的論文爲我們指出一個重要的研究方向，即以回溯的角度，探索文本生產、傳播和挪用條件的歷史。

這樣的研究方向，將會促使我們重新思考，首次出現著作所有權概念的歷史背景。這正是最近幾項研究正在進行的工作，並已經獲得一些成果[10]。第一個新看法認爲，著作所有權的確定，遠非我

10 近來最重要的著作有：Martha Woodmansee, "The Genius and the Copyright: Economic and Legal Conditions of the Emergence of the 'Author'", *Eighteenth-Century Studies,* 17. 4 (1984), pp. 425-48; Mark Rose,

們過去所認爲，是出現在現代私有財產權的獨特應用之中，而是直接源自於書籍生意(book's trade)對印刷特許的捍衛。此印刷特許，是指保障取得著作的書商得以壟斷印刷的政府授權。雖然在英國和法國的歷史上，王權都企圖對「特許權」(priviléges)進行限制。但特許權傳統上是一種永久授予的權利。藉由這種永久授權，書商兼出版商得以獨占著作出版的獲利；作者在將著作售予書商兼出版商之後，對其著作便無任何所有權。然而，當特許權的永久性在18世紀受到挑戰時，書商兼出版商反而藉由確保作者對著作擁有永久的所有權，來保障他們購自作者之版權的永久性*。18世紀的英國和法國都出現了類似的情況。倫敦書商爲反對「1709年法案」(Statute of 1709)將版權限定爲14年(若作者還在世，則再延14年)所採行的策略**，和狄德羅(Denis Diderot, 1713-1784)在1760年代，爲擔心永久特許權可能被剝奪的巴黎書商辯護的方式，頗有異曲同工之處。在倫敦，書商試圖藉由將讓渡手稿給書商之作者的著作所有權，看作習慣法上的永久產權，以確保他們所持有版權的永

(續)

"The Author as Proprietor: *Donaldson v. Becket* and the Genealogy of Modern Authorship", *Representations,* 23 (1988), pp. 51-85; Carla Hesse, "Enlightenment Epistemology and the Laws of Authorship in Revolutionary France, 1777-1793", *Representations,* 30 (1990), pp. 109-37.

* 〔中譯註〕此處夏提葉的重點在於，在17、18世紀建立出版市場秩序的協商過程中，作者與其著作之間的財產關係，漸漸成爲討論的焦點。不論是希望維持壟斷特權的倫敦、巴黎大書商，還是反壟斷的地方書商勢力，都以作者對其著作具有所有權爲訴求。雖然對立雙方關於作者所有權是否受時效限制的看法南轅北轍，但兩者都同樣促成了現代意義的作者和版權的誕生。

** 〔中譯註〕「1709年法案」指在1709-1710年間提案、協商，於1710年春通過的Statute of Anne，又稱爲「版權法案」，關於此案的前因後果，見譯者序。

久性。狄德羅在爲巴黎書商藉特許權壟斷出版市場的利益護航時，也不約而同地訴求作者對其著作的權利。他明爲巴黎書商的特許權發聲，實則意在藉機確立作者對其著作的所有權。藉由將特許權呈現爲一種永久的所有權，而非君主所授予的恩典，狄德羅在認可書商壟斷特權的同時，也確保作者具有完整的著作所有權。他採取這種策略，自然符合他身爲作者的利益*。狄德羅強調：「我再說一次：作者是他著作的主人，若非如此，社會上沒有任何人是自己財產的主人。書商擁有它，就像作者擁有它一樣。」因此，對狄德羅來說，作者的所有權，爲保障巴黎大書商壟斷之特許權的合法性立下了基礎；反面來看，正是特許權不受時效限制的特性，表明了作者對其著作具有完整的權利[11]。因此，羅斯(Mark Rose)關於英國的討論，也可以適用於法國：「我們可以說倫敦的書商發明了

---

* 〔中譯註〕由於1761年御前會議詔令裁定，書商購自作者家屬的特許權不一定是永久且獨占的權利，致使巴黎書商人人自危，感到有必要表明其特許權乃受到法律保障，不可剝奪的權利，故委託狄德羅撰文爲之辯護。狄德羅立論的基礎有二：其一，主張著作乃作者付出勞力的心血結晶，作者因此在法律上理應擁有其著作的所有權；其二，作者對著作在法律上完整的所有權，乃是書商擁有之特許權合法的基礎，因爲書商是透過合約合法購得作者對著作完整的所有權。狄德羅意圖表明特許權乃是可和實體財產相提並論的產權，而不是君王授予的恩典，以同時保障作者和書商的利益。在一個作者通常難以自行印刷，而必須依靠書商出版的時代，作者的利益不能脫離對書商利益的保障而存在。因此，狄德羅在爲書商壟斷權利辯護的同時，其實所意欲者，更在於確認作者對其著作所有權的合法性。

11 Denis Diderot, *Sur la liberté de la presse,* partial text established, presented, and annotated by Jacques Proust (Editions Sociales, Paris. 1964). 關於狄德羅，見 Roger Chartier, *Les origines culturelles de la Révolution francaise* (Editions du Seuil, Paris. 1990). pp. 69-80, 英譯本見 Chartier, *The Cultural Origins of the French Revolution,* tr. Lydia G. Cochrane (Duke University Press, Durham N.C. and London, 1991), pp. 53-61.

擁有著作所有權的現代作者，將之建構爲與地方書商爭鬥的武器。」[12*]不論是在英國還是在法國，地方書商之所以能夠幾乎完全依賴再版的生意而存活，乃是授予巴黎和倫敦大書商的永久特許權爲政府廢除的結果[**]。

---

12 Rose. “The Author as Proprietor”, p. 56.

* 〔中譯註〕羅斯此說，必須要放在18世紀初期英國的時代背景下解釋。由於1710年，國會通過了所謂的「版權法案」，規定版權爲14年，若作者還在世，則再延長14年。國會通過此法，目的在打破行會長期以來對書籍的獨占權。然而，此法案所規定的版權時效，在1774年之前，實行上並不具備約束力。因爲此法案通過之後，仍有倫敦書商在其版權業已過期之後，控告其他書商盜版而仍獲勝訴的例子。在這些案件當中，倫敦書商控告外地(特別是蘇格蘭)書商，在版權逾期之後印書販售仍有侵權之實的法理基礎，在於其從作者處所購得之版權，由於作者對其著作具有習慣法上的產權，因而同樣具有不受時效限制的永久性。倫敦書商之所以有此主張，正是看到維護作者對著作的產權，對其承購自作者之版權具有如地產一般，可以永久持有和繼承的特性，有正面肯定的效果。更重要的是，在倫敦書商提告外地書商盜版的案件中，對於作者對著作擁有習慣法上的產權，以及書商購自作者之版權具有習慣法產權之永久特性的肯定，乃是英格蘭法院有利於倫敦書商之判決的基礎。在這些判例中，倫敦書商擁有的版權被判決爲不受版權法案規定時效的限制，而具有習慣法上永久產權的性質，外地書商因此而暫時敗下陣來。正是因爲如此，羅斯才會將對著作具有所有權的「現代作者」，形容爲「倫敦書商發明，用以與外地書商爭鬥的武器」。然而，這場爭鬥最後的結果，倫敦書商並非贏家。

** 〔中譯註〕關於首都與外地書商的競爭，在英國還有一特殊面向，即英格蘭與蘇格蘭在地域認同與法律上的差異。由於自18世紀以來，英國關於作者對其著作所具有之權利的討論，集中在作者究竟擁有著作永久的產權，抑或作者的權利應該比照專利發明而有時效限制之上。在支持作者擁有永久產權，以爲其購得之版權建立合法性的倫敦書商一方，主張作者對著作擁有習慣法上，如地產一般可以買賣和繼承的產權。由於主要暢銷著作的版權，幾乎都集中在倫敦書商手上，因而反對作者具有習慣法上產權者，多爲外地，尤其是蘇格蘭的書商。蘇格蘭書商主張，著作所賴以成立的思想並非實體，故在法律上不可能爲財產。

這種倫敦與蘇格蘭書商對作者權利與著做法律本質見解上的差異，造成雖然在書商力圖保衛其版權的過程中，作者對其著作的所有權受到認可；但政府當局認可作者對著作的所有權時，其所憑依的邏輯，仍然是陳舊的特許權概念。「1709年法案」便是一個佐證。它試圖透過授予作者要求版權的權力，來打破倫敦書商的壟斷局面。在法國，1777年御前會議(king's council)的詔令中，也可以看到同樣的情況。它宣稱書籍生意的特許權，乃是「基於公正的恩典」(grace founded in justice)，而不是「法律上的所有權」(rightful proprietorship)。這則詔令也顯示，作者以自己名字取得的特許權，具有永久和世襲兩個特性：「作者享有特許權，永久授予他本人及其子孫。」*但不論是在英國還是在法國，作者最終都未能享

(續)

了英格蘭和蘇格蘭法院在判決上的對立。大致來說，在1774年Donaldson v. Becket一案使爭議塵埃落定之前，英格蘭法院的判決，傾向認可作者具有習慣法上的產權，而對倫敦書商有利。如1758年Baskett v. University of Cambridge案，和1769年的Millar v. Taylor一案，王座法庭(King's Bench，英格蘭習慣法最高法庭)的判決，都認定作者具有習慣法上的永久產權。然而，蘇格蘭法院的判決就大不相同。如1743年Millar v. Kinkaid和1773年的Hindson v. Donaldson等案，蘇格蘭高等民事法院(Scottish Court of Session)均判決被告，也就是蘇格蘭書商勝訴。蘇格蘭法院的判決，主要聚焦在原告倫敦書商所提出，其購自作者的版權，因作者對其著作具有習慣法上永久的所有權，因此也等同於永久的產權之說，是否具有法律基礎的問題之上。蘇格蘭法官認爲，根據蘇格蘭承襲自羅馬法的習慣法，財產必爲有形物質(此點與英格蘭習慣法不同)，故作者對其著作的無形權利，不可能等同於習慣法上的產權。此外，法官認爲，不論英格蘭法律爲何，在蘇格蘭，版權就是特許權，不可能是產權。因此，英國首都與地方書商針對版權的競爭，還包括英格蘭與蘇格蘭，在法律見解與地域認同上差異的面向。

* 〔中譯註〕雖然這則詔令否決了巴黎書商對特許權乃永久產權的主張，但卻確認了作者自身的特許權，在未曾讓渡的情況下，乃是永久且可世襲的權利；因此，雖然法國當局認定著作所有權乃是特許權而不是產權，但作者對其著作擁有的獨占權利仍獲得進一步的確認。

有完整的著作所有權。在英國是因爲版權時效的限制，並未因作者已經取得版權而有所改變；在法國，則是由於假如作者將手稿讓渡給書商，後者的特許權(最短時效是十年)只有「作者在世時」才有效。且在英法兩國的法律體系中，著作所有權也無法和不可剝奪，且能自由移轉的實體房地產所有權相提並論。

隨著出版市場的擴大，18世紀著作所有權的合法化勢在必行。對書商而言，確立作者完整的所有權，乃是確保自身擁有之版權具有合法永久性的手段。政府當局雖然站在准許印刷公共領域形成的立場，對作者的所有權施以時效限制，但同時也認可作者對其著作的所有權。例如法國1777年的詔令聲明：「所有的書商和印刷商，在一本著作之特許權期限屆滿及其作者過世之後，可以獲得出版此著作一次的許可，而已授予的許可並不妨礙其他人對同一著作申請出版許可。」在英、法和德意志，關於書籍生意特許權的爭議和訴訟之中，有兩種使作者權利合法化的法律體系同時並存。第一種多少和洛克所闡述的自然法理論有關，將作者的所有權視爲個人心血的結晶。這樣的見解也出現在1725年，法律學者德希庫(Louis d'Héricourt)，受到關注捍衛特許權的巴黎書商和印刷商行會，所委託撰寫的備忘錄中。這份備忘錄聲稱，作者所生產的著作乃是「只屬於他的心血結晶，理當隨他自由處置」[13]。倫敦書商也抱持相同的看法：「勞心費力，理當賦予人的產物自然的所有權；因爲寫作乃是勞動的產物，作者理應擁有其著作的自然所有權。」[14]在

13　引自 Raymond Birn, "The Profits of Ideas: *Privilèges en librairie* in Eighteenth-Century France". *Eighteenth-Century Studies,* 4, 2 (1971), pp. 131-68, quotation (in French) p. 161.

14　William Enfield, *Observations on Literary Property* (London:1774), 引自

法國，1777年8月御前會議的詔令，也隱約將授予作者之特許權的永久性，和其「心血」的特殊性連在一起：

> 國王陛下已經將書籍生意的特許權，認定爲基於公正的恩典。而其目的，就授予作者而言，是作爲他心血的報償；而就其爲書商所取得而言，乃是爲了償還他之前預付的款項，並補償他的花費。這種在定義特許權的考量上的不同，也造成了兩者時效上的差異。

由此可見，作者被賦予「更爲廣被的恩典」。不論作者對於著作行使的權利是視爲完整所有權的反映，還是僅作爲其心血的報償，著作所有權在寫作等同於勞力的看法漸趨普遍的背景之上，建立了初步合法性的基礎。

第二種有關著作所有權合法化的體系，來自於反對思想爲私人據爲己有的論點。在英國，永久版權的反對者，主張文學作品應該和「機械」發明等量齊觀。這類批評認爲，兩者都是由人人皆可取得的元素組裝而成，故理當適用相同的法律規範。因此版權應該限制爲14年，就像獨家科學發明的專利權一樣：「由於機械發明和文學創作之間，有難以否定的相似性*，因此兩者都不應該被認定爲

(續)

Rose, “The Author as Proprietor”, p. 59.

* 〔中譯註〕關於版權等同專利的主張，布萊克斯頓(William Blackstone)在1774年Donaldson v. Becket一案中指出，文學創作不可能等同於科學發明，因爲兩台引擎即便看似相同，材質和作工也不會完全一樣。但文學著作不同，其無形的本質(情感、風格)，不論複印多少次，都不會有絲毫的改變。故布萊克斯頓主張版權爲習慣法上永久的產權，而不是有時效的專利。

習慣法定義下的財產。」[15]赫斯(Carla Hesse)的研究指出，在同個時期的法國，以康多賽(marquis de Condorcet)和西耶神父(abbé Sieyès)爲代表的看法，也認爲不受時效限制的著作所有權並不公平，因爲思想屬於所有人。若以絕對獨占的著作所有權坐實個人對知識的壟斷，實有違啓蒙運動的進步理念，因爲知識應該是所有人的共同財產。所以他們主張著作所有權必須受到公共利益的嚴格限制[16]。

爲了迴避上述這類的看法，主張作者永久獨占著作所有權者，轉移了對這些權利基本判斷標準的焦點。他們認爲，雖然思想可以共同持有，也能廣泛分享，但這並不適用於著作獨一無二的風格和情感，所賴以表達的形式。著作所有權的合法性因此建立在新的美學感知之上，視著作爲可由作者表述的獨特性來識別的原創作品。這種將著作獨具一格的形式、作者的巧思天賦，和其所有權的不可剝奪特性結合在一起的概念，顯現於「1709年法案」在英國後續引發的衝突和議論之中*。特別是法學家布萊克斯頓(William Blackstone,

---

15 Baron James Eyre in *Cases of the Appellants and Respondents in the Cause of Literary Property Before the House of Lords* (London: 1774), p. 34, 引自Rose, “The Author as Proprietor”, p. 61.

16 關於這方面的分析，見Carla Hesse, “Enlightenment Epistemology and the Laws of Authorship”. Hesse特別強調康多賽和西耶神父的立場對大革命立法的影響：「布爾喬亞的民主革命並未導致作者概念更進一步鞏固；相反地，革命者企圖剝奪作者獨占著作的地位，認爲此乃舊政體下特許權的產物，欲將之重塑爲公共的服務者、公民的模範，而不是私有的個體。」(p. 130)

* 〔中譯註〕這種將「原創性」(originality)與著作所有權加以連結的看法，近來受到批評。如Simon Stern認爲，在18世紀，「原創性」(originality或creativity)其實與著作所有權無關，例如1710年的「版權法案」便沒有提到原創性。又如Samuel Richardson雖然以原創性自我標

1723-1780)在1760年發生的書商湯森和柯林斯共謀的假訴訟案件(Tonson v. Collins)中，所提出的主張*。這種概念在1773-1794年間，

(續)

榜，但事實上他的作品並不如他所說的那般「原創」，而有許多仿自其他作者之處。然而，這並不表示Richardson是在自吹自擂，而是反映了18世紀時人所謂的「原創性」，與今日的定義並不相同。以原創性坐實著作所有權的論點，最重要的論據來自布萊克斯頓的說法。然而，Simon Stern指出，布萊克斯頓所謂的「原創」指的並不是創意或創新，而是「未經複製」的意思。依照布萊克斯頓的定義，用不同的文字表達相同的概念，和用相同的文字表達不同的概念，都是「原創」新作品，可適用版權保護。因此，模仿和選輯(anthology)與「原創」都不牴觸。除此之外，在1741年Gyles v. Wilcox一案的判決中，法官認定節錄不算抄襲的標準，乃是基於節錄的形式；而和有「原創性」與否也並無關聯。事實上，在18世紀，幾乎沒有人提到美學原創性和著作所有權有關。在當時的脈絡之中，作者的「心血」才是坐實的理論基礎。原創性是要到了浪漫時代的19世紀初年，才變得十分重要。見Simon Stern, "Copyright, Originality, and the Public Domain in Eighteenth-Century England," in Reginald Mcginnis ed., *Originality and Intellectual Property in the French and English Enlightenment*(New York: Rutledge, 2009), pp. 69-101.

* 〔中譯註〕此處夏提葉的重點在於，作者因著作獨特的風格或形式，而對其著作具有基於習慣法之永久產權的主張，如何在Tonson v. Collins一案中，由布萊克斯頓於法庭當中陳述。1760年Tonson v. Collins一案，主要肇因於1709年版權法案未能解決的爭議。此案的來龍去脈爲，出版商Tonson所購得《觀察家報》(*Spectator*)的版權，根據版權法案的規定業已超過時效。而書商Benjamin Collins在時效過後販售蘇格蘭印刷的《觀察家報》，究竟有無侵犯Tonson的版權。前述譯註已說明，版權法案規定的版權時效多次在大法官法庭和王座法院的判決中受到忽略，判例對此案原告較爲有利。更重要的是，正反雙方在法庭上的陳述，都將重點放在作者對其著作的權利之上。原告Jacob Tonson主張作者對其著作擁有洛克所說的「自然」產權。根據洛克的主張，一個人的person即爲其財產，故個人能透過勞力將自然原料轉變爲私有財產。以此而言，著作當然是作者的私有財產。

辯方則主張歷史上作者權利的來源，不論是印刷的特許權，還是版權法案所規定的版權，從來都是官方授權，而非自然產權。更重要的是，作者若有對其著作的產權，也僅止於手稿或書本在紙墨物質上的價值，一旦作者將其著作售罄，便不再擁有其著作的所有權，因爲無形的思想並

德意志地區展開的爭議辯論中，獲得最根本的表述。其中關於書籍生意特許權的討論，和發生在法國與英國的情形一樣，都連結到對文學創作本質的爭議之上。這場包括貝克(Zacharias Becker)、康德

(續)

非財產，不可能具有產權。辯方此論有判例的支持。在1743年Millar v. Kinkaid一案中，倫敦書商宣稱版權法案賦予作者永久產權，據此控告蘇格蘭書商印刷版權過期的書籍爲盜版。但最後蘇格蘭高等民事法院判決倫敦書商敗訴。法院認定財產必有實體，故作者對其著作，不能擁有無形的產權。而在此案當中，針對辯方此點主張，代表原告的布萊克斯頓(時爲牛津大學Vinerian professor)則反駁以財產必有價值，而著作作爲財產的價值，便在於作者的「心血」。因此著作作爲財產毋庸置疑，作者理應擁有產權。對於布萊克斯頓的反駁，代表被告的Joseph Yates則將重點轉移到出版之上。他肯定作者的心血與其對著作的權利，但強調這只限於出版之前，因爲出版之後，著作便成爲公有。雖然雙方攻防激烈，但由於此案係湯森和柯林斯共謀，欲藉訴訟使法院確認英格蘭書商擁有購自作者，具有習慣法上自然產權性質的版權，故王座法院最後拒審此案，作者對其著作是否具有習慣法上產權的爭議，因此依舊懸而未決。

雖然未做成判決，但在18世紀英國司法界備受敬重，此時身爲王座法院法官的Lord Mansfield主導下，此案多數法官支持作者對著作具有習慣法上產權，這也是Lord Mansfield一貫的主張。他對辯方的主張也逐一反駁。首先，作者對著作的權利必定得延續至出版之後，若非如此，作者的利益和心血都將遭到剝奪。其次，著作也不可能爲公有，因爲法律對作者的保護和著作爲公有二概念互相衝突，辯方無法自圓其說。再者，辯方主張無形思想不能爲財產之說，與其主張作者對著作擁有出版前產權的說法，也自相矛盾。而針對辯方最強而有力的論證，也就是版權法案廢止了作者在習慣法上的權利，Lord Mansfield則回應道，若此爲立法者之眞意，必定會加以施行，但就判例來看，顯然並非如此，故此論點也不能成立。

雖然爭論作者究竟對其著作有無習慣法上產權的正反雙方，在此次交鋒中並未分出勝負，但此懸而未決的爭議，終究在1774年Donaldson v. Becket一案中獲得解決，版權應有時效限制的主張最終獲得勝利。在此案中，即便多數法官支持版權應爲習慣法上的永久產權，但由於此案最終的裁決是由上議院投票決定，在多數議員不滿倫敦書商壟斷的氛圍下，版權受時效限制遂成定案。

(Kant)、費希特(Fichte)和赫德(Herder)都曾參與的議論，產生了著作的新定義。因爲思想不能成爲個人據爲己有的私物，所以著作不再以其表達的思想，而是以其**形式**，也就是以作者生產、組織、表達和呈現概念的獨特方式來定義[17]。如此一來，產生自可和大自然創造比美的有機過程，並被賦予美學原創性的文本，因此就超脫了書籍物質性的限制，並與技術的發明區隔開來[18]。文本因而會使人立即想到其作者的主體性，而不是想到神聖的啓示或既有文類的傳統格套。上述的著作理論，顯現出傅柯所理解的「作者功用」的基本特徵：作者乃是創意的源頭，賦予著作得以區別於其他人作品的「整體性」，且作者「獨特的表述方式」體現在他每一件創作之中。

18世紀後半葉，在文學活動的職業化，也就是寫作成爲一份可以維持生計的工作，與作家獨立自主創作藝術，不食人間煙火的理想形象之間，形成了弔詭的連結[19]。一方面，詩或哲學的著作成爲一種可以討價還價的商品，具有狄德羅所說的商業價值，因此能夠成爲合約的對象，用金錢來衡量。但在另一方面，寫作被看成源自以作家內在需求爲動力，自由創發的活動。故當作家的收入來源，逐漸從爲達官貴人提供服務的庇護體系*，轉移到以販賣或演出著

17 見Woodmansee, "The Genius and the Copyright",特別是她對費希特在"Beweis der Unrechtmässigkeit des Büchernachdrucks: Ein Räsonnement und eine Parabel" (1793)一文中對形式與內容區別的分析 (pp. 444-6)。

18 Roland Mortier, *L'originalité: Une nouvelle catégoric esthétique au siècle des Lumiéres* (Droz, Geneva. 1982).

19 Martha Woodmansee, "The Interests in Disinterestedness: Karl Philip Moritz and the Emergence of the Theory of Aesthetic Autonomy in Eighteenth-Century Germany". *Modem Language Quarterly,* 45 (1984), pp. 22-47.

* 〔中譯註〕庇護體系指的是18世紀，法國達官貴人以金錢或職位贊助文

(劇)作獲得金錢的市場之際，書寫的意義也發生了與著作的商業價值看似矛盾的變化，即書寫自此之後，乃是以作家創作力絕對自由的表現來定義[20]。

這種創作靈感與金錢交易之間的連結，在兩個層面上改變了傳統對文學創作的看法。像「科學的獎賞乃是榮耀，當之無愧者，對其他形式的獎賞不屑一顧」[21*]的概念，便因爲只不過是掩飾寫作和金錢利益之間牽連的藉口，而遭到反對。在18世紀之前，對於沒有職務和其他收入的作者來說，依附權貴是典型的出路；而在著作進入市場之後，這種依附便成爲創作發明獨立本質的對比[22]。因此，18世紀後半葉，出現了一種與傅柯所說的轉變不同的根本改

(續)

人，以換取其奉承和報效的社會關係。

20 關於此轉變的演變，見Eric Walter. "Les auteurs et le champ littéraire". in *Histoire de l'édition francaise,* ed. Henri-Jean Martin and Roger Chartier, 4 vols (Promodis, Paris, 1982-6), vol. 2. Le livre triomphant, 1660-1830, pp. 382-99, reprint edn (Fayard/Cercle de la Librairie, Paris 1990). pp. 499-518; Siegfried Jüttner, "The Status of Writer", in *Seventh International Congress on the Enlightenment: Introductory Papers/Septième congrès international des Lumières: rapports préliminaires,* Budapest 26 July-2 August 1987 (The Voltaire Foundation. Oxford. 1987), pp. 173-201.

21 Lord Camden in *Cases of the Appellants and Respondents in the Cause of Literary Property Before the House of Lords* (London 1774), p. 54, 引自Rose, "The Author as Proprietor", p. 68.

* 〔中譯註〕語出Lord Camden。此處所言，乃是將科學發明，等同於文學創作，意在強調眞正的作家不會爲金錢報酬寫作。在18世紀後半葉，英國書商、律師和法官，關於著作以及作者授予書商的版權，是否基於習慣法而具有永久不可剝奪特性的論戰當中，Lord Camden是站在限縮版權的一方。他甚至強調版權根本不應該存在，也不該有時效，因爲鬻文爲生者的著作根本不值得版權的保障，而眞正有價值的作品，其作者必定不屑於金錢的報酬(榮耀就是最好的獎賞)。

22 Viala, La Naissance de *l'écrivain,* pp. 51-84.

變。在此之前，作者必須爲雇用關係或贊助紐帶產生的義務效力，這意味著文學著作和經濟交易之間並無可資比較的標準。但在18世紀中葉以後，情勢出現轉變。文學創作變成可以用金錢衡量，依照市場法則交易的勞力付出，並且轉而建立在宣稱不涉金錢利益的純粹原創性保證之上。

如此看來，我們似乎有充分理由將作者的現代定義，和印刷出版的需求緊密連結在一起。柯楠(Alvin Kernan)在他對包斯威爾(Boswell)稱爲「印刷時代詩人典範」的約翰生(Samuel Johnson)所做的研究中，即強調由印刷出版所構成的書籍市場，和作者的定位之間有密切的關係。在18世紀晚期英國「以印刷爲基礎，以作者爲中心的新文學體系」之中，至少有些成功的作家能夠享有財務上的獨立。這讓他們從庇護體系的義務中解放出來，並使他們可以在出版時掛上自己的名字。這因此打破了以往「紳士作家」或「紳士業餘作家」的古典作者形象(這類作家不一定是貴族出身)。在傳統的定義上，作者的收入不是來自於寫作，而是來自資產、地租或職位；這類古典形象的「紳士作家」對印刷出版非常反感，認爲此「溝通媒介腐蝕了宮廷文學所在意的私密和稀有的價值」*。他們偏好將讀者限定在與他們地位相仿的少數人之中，以手稿的形式匿名流傳自己的著作。然而，隨著形勢改變，當印刷出版變得不可避免，將作者隱藏起來這種出自於「匿名的宮廷傳統」的典型做法，也隨之出現幾種不同的變化。作者可以選擇不把名字放在內封面上，例如斯威夫特(Jonathan Swift, 1667-1745)便這麼做。或者也可

* 〔中譯註〕貴族爲了和社會上其他階層區隔，不樂見自己的著作留有J. W. Saunders所說「印刷的污名」(stigma of print)；他們希望自己的著作只在上層社會封閉的圈子中以手稿的形式流通。

以採用虛構的方式，將著作設計成一份無意中發現的手稿。例如格雷(Thomas Gray, 1716-1771)談到他的〈鄉村墓園輓歌〉(Elegy in a Country Churchyard)時寫道：「假如他(指印刷商)願意再加個一兩行來說明這份文稿是碰巧落到他手上的，我應該會更加滿意。」或者作者也會創造一個假的作者，如羅利(Thomas Rowley)，一個來自布里斯托(Bristol)的僧侶，便被宣稱爲實際上是夏特頓(Thomas Chatterton, 1752-1770)詩作的作者；而麥克法遜(James MacPherson, 1736-1796)則發明了一位名爲奧斯安(Ossian)的賽爾特遊唱詩人，將自己的著作僞託在他的名下，宣稱自己僅僅是這些作品的翻譯者。不論如何，種種源於「文學舊制度」(literary ancien régime)的價值與實踐，已經爲「建立在印刷技術及其市場經濟上的新文學世界」所動搖。在新的寫作經濟中，公諸於世的作者，不僅其原創性受到完全的認可，同時也能夠正當地作爲其著作獲利的受益者[23]。

17世紀後半葉法語字典的定義，似乎也證實了作者和印刷出版之間的關聯。1690年弗爾提耶(Antoine Furetière)的《通用字典》(*Dictionnaire universel*)，給「作者」(auteur)一詞下了七個定義，其中關係到文學方面的定義，只排在第六個順位。第一個順位的「作者」定義，是在哲學與宗教方面，指「某種東西的創造者；最顯著的例子就是上帝乃是造物主」。第二個定義關於技術，「特別是指首先發明某種東西的人」。第三個是生活實踐方面，「指事情

23　Alvin Kernan, *Printing Technology, Letters & Samuel Johnson* (Princeton University Press, Princeton, 1987). quotations pp. 88, 47, 42, 64, 65, 22, 23. 關於著作以手抄本形式流傳，見Harold Love, "Scribal Publication in Seventeenth-Century England", *Transactions of the Cambridge Bibliographical Society,* vol. 9, pt 2 (1987), pp. 130-54.

的肇因者」。第四順位定義是政治的範疇，例如「某陣營的領袖、輿論發起人、陰謀和謠言的始作俑者」。第五順位的定義是家系，如「某個家族或家庭血統的始祖」。而第七個，即最後一個定義，則是指法律方面：「就法院的觀點而言，作者是透過銷售、交換、捐贈或其他合約，取得擁有財產繼承之權利者。」因此，作者一詞並未立刻伴隨著印刷術的普及，而獲得文學作者的定義。此詞最初的意思是大自然的造物者、物品的發明者和連鎖反應的肇始者。而《通用字典》在作者的文學定義之下寫道：「文學上的作者指的是曾經撰寫書籍者。現在有一種看法，認爲只有那些曾經將著作印刷出版者，才算是作者。」隨後，字典又加上一個例句，說明文學定義的作者一詞如何使用：「唯有印刷出版讓人成爲作者。」根據弗爾提耶的定義，一個人因其著作以印刷方式出版和流通，而具有被稱之爲「作者」的資格，故在17世紀末的法文使用中，「作者」不同於「撰寫者」(escrivain)，因爲後者雖「撰寫書籍或著作」，但與印刷無關。

早在弗爾提耶的《通用字典》十年之前，利榭萊(Pierre Richelet)的《法文字典》(*Dictionnaire Français*)便已經在作者和印刷之間建立了必要的連結。他對作者所下的定義，主要是「首先發明或說出某種東西者，或導致某事發生者」，而在隨後的第二個定義中寫道：作者是「曾經寫作某本印刷書籍者」。隨後以範例解釋：「阿布朗古(Ablancour)、巴斯卡(Pascal)、瓦居爾(Voiture)和沃熱拉斯(Vaugelas)都是傑出的法國作者。亨利三世的女兒瑪格麗特王后(Queen Marguerite)，也是一位作者。」[24]前面弗爾提耶列

24 我必須指出，1694年的《法蘭西學會字典》(*Dictionnaire de l'Académie*

出的一連串範例中，也不忘提到女性作者：「只要出版過書籍或劇作，女性也可以成爲作者。」[25]對這兩本17世紀晚期的字典來說，「作者」指的是著作曾經印刷出版者，與眾多曾經寫過書，但未曾印刷出版的「撰寫者」有別。因此，若想成爲作者，單單只是撰寫並不足夠，著作還必須以印刷形式公開出版和流通。

對於「作者功用」和印刷出版發生關聯的脈絡，雖然我們已經從18世紀末、19世紀初向前推溯至17世紀末，但我們還要進一步追問，「作者功用」是否可能在更早之前就已經出現？答案來自兩本最早在法國出版的法文作者目錄，一本是在1584年出版的《拉克瓦杜曼爵爺目錄總集第一冊》(*Premier Volume de la Bibliothèque du Sieur de La Croix du Maine*，以下簡稱《目錄總集第一冊》)，另一本則是1585年出版的《沃普利瓦爵爺安托涅·杜維迪目錄總集》(*La Bibliothèque d'Antoine du Verdier, seigneur de Vauprivas*，以下簡稱《杜維迪目錄總集》)[26]。其中，拉克瓦杜曼(François Grudé

(續)

Francaise)並未在作者和印刷之間建立明顯的連結，僅指出Auteur乃是書籍的創作者。

25 關於由法律上女性相較於男性而言，屈居劣勢(juridical inferiority)的觀點，來探討女性作者獨特地位的分析，見Carla Hesse, "Reading Signatures: Female Authorship and Revolutionary Laws in France. 1750-1850", *Eighteenth-Century Studies,* 22, 3 (1989), pp. 469-87.

26 *Premier Volume de la Bibliothèque du Sieur de La Croix du Maine* (Abel L'Angelier, Paris. 1584); *La Bibliothèque d'Antoine du Verdier, seigneur de Vauprivas* (Barthélémy Honorat, Lyons. 1585). 這兩本目錄書18世紀時合在一起再版：*Les Bibliothèques Francoises de La Croix du Maine et de Du Verdier, sieur de Vauprwas,* Nouvelle Edition dédiée au Roi, revue, corrigée et augmentée d'un discours sur le Progrès des Lettres en France, et des Remarques historiques, critiques et littéraires de M. de la Monnoye et de M. le Président Bouhier, de l'Académie francaise, de M. Falconet, de l'Académie des Belles-Lettres, par M. Rigoley de Juvigny, 6 vols (Saillant et Nyon et

de La Croix du Maine)賦予《目錄總集第一冊》冗長的副標題，很清楚地表達此書是以作者爲基礎組織而成：「這是一份含括五百年來至今，以法文寫作所有類別作者的總目錄，共收錄三千位作者。其中最傑出而聲譽卓著者，附上作者生平介紹及著作簡介，不論是否曾經印刷出版都包括在內。」由此可以看出，「作者功用」的特徵在此已經粗具雛形。首先，拉克瓦杜曼將書籍的作者視爲分類著作的首要標準。他以字母順序排列作者的姓名，依照中世紀的方式，用作者名字(first names)的順序來排列，從Abel Foulon排到Yves Le Fortier，並附上可以從別名或是姓氏(last name)查回作者的表格。更重要的是，在拉克瓦杜曼聲明要提供作者生平傳記的建議裡(卻未見於唯一出版的《目錄總集第一冊》中)，他將作者的生平傳記視爲理解著作的主要參考對象。這種作者鮮明個人形象的重要性，也可見於《杜維迪目錄總集》。其中「包含王國境內，所有以法文或法國其他方言寫作或翻譯的作者目錄，但不包括虛構的作者」。杜維迪還寫道：「本書並不打算收錄各種作者姓名不實的年刊曆書，因爲即便是印刷工坊的校訂人員，也會對此做出不實的編造，最常見的情況是虛構從未存在的作者。」

拉克瓦杜曼和杜維迪的這兩部目錄書，證實了「作者功用」的展現，並不必然與印刷出版或作者的獨特性有關。不像一個世紀之後，利榭萊與弗爾提耶在他們的字典中所下的定義，拉克瓦杜曼和杜維迪將手抄書和印刷書的撰寫者，都視爲作者。事實上，《目錄總集第一冊》的標題，便已言明書中會提及所有作者，「包括印刷或其他出版方式的著作」。《杜維迪目錄總集》也載明收錄「所有

(續)

Michel Lambert, Paris, 1772-3).

的著作，不論是否爲印刷」。拉克瓦杜曼特別強調，他的目錄書在防止他人冒名出版眞正作者死後遺留的手稿上，頗具成效：「因爲我記錄的不只是已經出版的作品，還包括那些尚未以印刷方式出版的著作。」由此可見，在16世紀晚期的法國，作者已然成爲區別不同著作的基本原則，但這並不表示他們的著作全都印刷出版。

此外，「作者功用」與庇護體系所建立的依附關係也並無扞格之處。拉克瓦杜曼在書中一篇致國王的獻詞中，提到他之所以要出版《目錄總集第一冊》的兩個理由。第一個理由，是要以三千位用法文寫作的作家，來彰顯法蘭西王國的優越性，因爲當時用義大利文寫作或翻譯的作者還不到三百位[27]。第二個理由是「要贏得當今如此眾多，**為陛下網羅於麾下服務**的飽學之士的友誼」(粗體爲作者所加)。拉克瓦杜曼的獻詞，證明舊制度時代文學依附權貴的模

27 杜曼此處所引義大利文作者數目的資料來源爲“La *Librairie* d’Antoine Francois Dony, Florentin”，即安東・法蘭切斯科・多尼(Anton Francesco Doni)的*La Libraria del Doni, Fiorentino, Nella quale sono scritti tutti gl’autori vulgari con cento discorsi sopra quelli* (Gabriele Giolito de’ Ferrari, Venice, 1550)，此書又以另一標題再版：*La Libraria del Doni, Fiorentino, divisa in tre trattati. Nel primo sono scritti, tutti gl’ autori volgari con cento e piu discorsi, sopra di quelli. Nel secondo sono dati in luce tutti i libri che l’autore ha veduti a penna, il name de’ componitori, dell’opere, i titoli, e le materie. Nel terzo, si legge l’inventione dell’Academie, insieme con i sopranomi, i motti, le imprese, et l’opere fatte da tutti gli Academici* (Gabriele Giolito de’ Ferrari, Venice, 1557). 値得注意的是，不像杜曼和杜維迪的目錄書是以難以親近的對開本出版；安東・法蘭切斯科・多尼的目錄書，乃是以較小的開數印刷(如1550年出版的十二開本，以及1557年的八開本)，故更易於翻閱及攜帶。關於多尼《目錄總集》(*Libraria*)的討論，見Amedeo Quondam, “La letteratura in tipografia”. in *Letteratura italiana,* ed. Alberto Asor Rosa, 8 vols (Giulio Einaudi, Turin, 1982-91), vol. 2, *Produzione e consumo,* pp. 555-686. esp. 620-36.

式，足以孕育「作者功用」的建構。因此，庇護紐帶和作者地位的確立不僅沒有衝突，還一同定義了文本歸屬的制度。拉克瓦杜曼在1579年宣告要撰寫的《法蘭西目錄大全》(*Grande Bibliothèque Françoise*)，便是一個很好的例證。他在五年之後出版的《法蘭西目錄大全第一冊》，就其內容而言，其實只是一份摘要說明。根據這份摘要，這部後來從未印刷出版的《法蘭西目錄大全》，將不只包含「所有作者著作的目錄」，還要爲每一本已經印刷出版的著作，標註「印刷者、開數大小、出版年份、頁數，以及**著作題獻之男性或女性對象的姓名，並詳細列出他們完整的頭銜**」(粗體爲作者所加)。因此，每份著作，都必須像書籍的內封面那樣列出三個名字，包括作者、題獻對象和書商(或印刷商兼出版商)。其中書商因商標而特別醒目[28]。

1605年《唐吉訶德》(*Don Quixote*)的最初印刷版，便是一個很好的範例[29]。在內封面的最上方，是大寫的標題。在下方則以斜體表示文本必不可少的作者：「由塞萬提斯(Miguel de Cervantes)撰寫。」書中正文前的一些文字，除了標示價格(「價格上限爲290小西班牙幣」)，還透露文本歸屬於作者的訊息，包括指出作者獲得十年印刷許可的特許權。在內封面標示作者姓名的下方，則是用羅馬字體印著題獻對象「貝嘉爾公爵」(Duque de Beiar)的全副頭銜：DIRIGIDO AL DUQUE DE BEIAR, / Marques de Gibraleon,

28 關於16、17世紀書籍的內封面，見Roger Laufer, “L’espace visuel du livre ancien”, in *Histoire de l’édition francaise,* vol. 1, *Le livre conquérant: Du Moyen Age au milieu du XVIIe siècle* (1982), pp. 478-97. reprint edn (Fayard/Cercle de la Librairie, 1989), pp. 579-601.

29 此內封面引自Miguel de Cervantes, *El Ingenioso Hidalgo Don Quijote de la Mancha,* ed. John Jay Alien. 2 vols (Cátedra, Madrid, 1984). 1:43.

Conde de Benalcaçar, y Baña- / res, Vizconde de la Puebla de Alcozer, Señor de / las villas de Capilla, Curiel, y / Burguillos。因此，內封面最上方的三分之一，代表18世紀中葉之前，主導文學活動的基本關係，即作者和支持並酬庸他的庇護者之間的連結。內封面中間位置，介於左側標示的「年」(Año)和右側的「1605」日期之間，則是印刷商的商標，占去頁面大部分的剩餘空間。最後，在商標下方的三行文字，標明印刷書籍生意的制度，包括標示王權的特許權(CON PRIVELIGIO)、出版地(馬德里〔EN MADRID〕)，以及印刷商名(拉切斯塔〔Juan de la Cuesta〕)。在頁面最下方一條筆直的橫線下面，則記載能夠買到這本書的書商地址(「國王陛下的書商，法蘭西斯·德羅布萊家」〔Vendese en casa de Francisco de Robles, librero del Rey nro señor〕)。

上述內封面視覺空間的建構，澄清了幾個以往對「作者功用」認知的矛盾，並將其出現的年代推得更早。首先，是作者作爲文學著作所有者地位的確立，受到授予塞萬提斯特許權的國王所認可。特許權允許作者將「他竭力完成，能夠造福世人並獲得合理報酬」的著作交付印刷。作者作爲著作生產者的地位，在塞萬提斯的序文中，以諷刺的方式展現：「但我，雖然看似唐吉訶德的父親，實際上只不過是他的繼父；因此，不願附和時下的風俗，不會像其他人一樣，淚流滿面地哀求讀者，原諒或寬恕將在我這個孩子身上看到的過錯。」[30]這個操作「父親」(padre)和「繼父」(padrastro)的文字遊戲，其實預告了作者在第九章，也就是1605年版《唐吉訶德》

30 Cervantes, *El Ingenioso Hidalgo Don Quijote de la Mancha,* p. 67,引自 *The Adventures of Don Quixote de la Mancha,* tr. J. M. Cohen (Penguin Books, Harmondsworth, 1950), p. 25.

第二部的第一章中杜撰的情節。讀者在這一章中讀到的敘述，被告知乃是翻譯之作：由托雷多的莫利斯可(Morisco from Toledo)，用六周多的時間，從一份阿拉伯文的手稿《唐吉訶德的故事，阿拉伯史家貝奈杰利爵爺撰》(*Historia de don Quijote de la Mancha, escrita por Cide Hamete Benengeli, historiador arábigo*)[31]翻譯成卡斯提爾語(Castilian)。然而，不論是碰巧取得文本的情節安排(在一個年輕人賣給絲綢商人的「舊筆記本中」巧遇文稿)，還是將創作偽裝成僅是一部翻譯，目的都不是要掩飾眞正的作者。不只如此，《唐吉訶德》的「作者們」還隨著情節發展而增加。一開始在前言中，出現宣稱「這部著作就像是自己」的「我」；然後，這個自此一直作爲前八章作者的「我」，在作爲文本讀者，卻隱藏起來的「我」(I-reader)突然發聲說：「這讓我感到十分憂愁」，而打斷了原本正在進行的敘述之後，便消失無蹤。除了這兩個「作者」之外，還有阿拉伯文手稿的作者，以及同時被作爲讀者的「我」，和《唐吉訶德》的讀者所閱讀的翻譯作者莫利斯可。這種看似極度分散作者的手法，實際上反而展現了作者形象的首要功能：確保著作的統一和連貫性。

《唐吉訶德》內封面將庇護者貝嘉爾公爵，與印刷商拉切斯塔(塞萬提斯已將一份登記爲1604年9月26日的王室證書，授予作者的特許權讓渡給他，以印刷自己的書)並列，不僅不會造成庇護體系與市場之間的矛盾，反而還顯示作者一方面參與市場運作，掌控與書商和印刷商間的交易，同時另一方面也接受或尋求庇護。另一個例子，是英國伊莉莎白時代的強森(Ben Jonson, 1572-1637)。強森

31 Ibid., pp. 143-9, *The Adventures of Don Quixote,* p. 77.

一方面強調作者的權利，將著作直接售予出版商，並親自修訂文稿，打破長期以來劇場對其上演之劇作，抄寫或印刷出版的獨占權。因此在印刷方面，他取得了自己著作的主導權，例如《強森作品集》(*Workes of Benjamin Jonson*)便在1616年由斯丹比(William Stansby)出版。另一方面，強森也是頭幾位將自己出版的劇作，獻給達官貴人的英國作家。《王后的假面舞會》(*The Masque of Queenes*)在1609年獻給亨利親王、《卡提里納》(*Catiline*)在1611年獻給朋布洛克伯爵(Count of Pembroke)、《鍊金術士》(*The Alchemist*)則在1612年獻給瑪莉·沃絲(Mary Wroth)*。由此可見，庇護體系和市場並不互相排斥。強森所採取的做法，其實是16和17世紀所有作者面對印刷市場的衝擊時，共同採用的因應方式：「將新式的印刷傳播技術與舊式的庇護經濟調和。」[32]

另一方面，作者和書商之間的合約，也證實商業規範能夠契合庇護體系的需求。歷史學者巴隆—夏宏(Annie Parent-Charron)曾找到大約三十份，於1535-1560年間在巴黎所立的合約。當中最常見的情況，是由書商負擔所有的印刷費用並負責取得特許，而作者則獲得免費的書籍印本作爲報酬。例如阿莫龍(Jean de Amelin)翻譯李維(Livy)的《羅馬史》(*Décades*)，由卡維拉(Guillaume Cavellat)出版(合約日期爲1558年8月6日)，獲得25冊印本作爲報酬；費那宏西(David Finarensis)撰寫《值得重視的眞正星相學摘述》(*Epithome de la vraye astrologie et de la réprovée*)，由古猶(Etienne Groulleau)印刷出版(合約日期爲1547年8月22日)，獲得一

---

* 〔中譯註〕瑪莉·沃絲(1587-1651)，英國文藝復興時期著名女詩人。

32 Joseph Loewenstein, "The Script in the Marketplace", *Representations,* 12 (1985), pp. 101-14, quotation p. 109.

百冊印本的報酬。只有在兩種情況下，會出現書商在免費的印本之外還附帶金錢的酬勞。一是作者已經取得特許權，並自行支付行政程序費用；二是有關翻譯酬勞的合約，這種合約在1550-1560年，西班牙騎士文學風行的期間特別常見。然而，即便是這類風行文學的譯作，對其譯者來說，將印本呈獻給國王或達官貴人(不論他們是實際的或可能的庇護者)，仍然是最重要的生存之道。例如厄伯瑞(Nicolas de Herberay)和兩位巴黎書商隆吉斯(Jean Longis)與賽特納斯(Vicent Sertenas)，在1540年11月19日簽訂的合約，便是最佳的說明。依據這份合約，厄伯瑞要翻譯《高盧的艾默帝斯》(*Amadis de Gaul*)*的二、三、四冊。由於厄伯瑞自己已經取得特許，再加上他在翻譯工作上付出的辛勞，因此除了獲得80個金埃居(écus d'or soleil)和每冊12本尚未裝訂的印本之外，還有在一個時限內銷售這本書的獨占權。依據這份合約，書商「可以銷售或販賣前述三冊書籍中的任何一冊，但必須在前述的厄伯瑞將印本呈獻給國王陛下之後。若違反這項規定，書商必須負擔所有的支出、損失和利息。厄伯瑞承諾會在收到第四冊散裝本的六周之後，將印本獻給國王。」六周的延遲，是為了讓作者有時間仔細裝訂呈獻的印本[33]。

---

* 〔中譯註〕*Amadis de Gaul*是15世紀西班牙作家Garcia de Montalvo所著的騎士故事。

33 Annie Parent, *Les métiers du livre à Paris au XVIe siècle (1535-1560)* (Librairie Droz, Geneva, 1974), pp. 98-121, 286-311, quotation p. 301. 巴隆—夏宏探討的合約中，有23份是作者與巴黎印刷商或書商立的合約。關於特許權，見Elizabeth Armstrong, *Before Copyright: The French Book-Privilege System, 1498-1526* (Cambridge University Press, Cambridge, 1990).

由此可見，傳統的庇護體系，不但沒有因爲受到印刷書籍傳播的衝擊而解體，反而與新製書技術和印刷書籍構成之市場邏輯結合。這種庇護主提供的贊助，與印刷書市場連結的現象，早已見於文藝復興時代，即使到了作者出現「職業化」傾向的18世紀，也在相當的程度上維持不變。丹屯(Robert Darnton)曾分析兩份資料，其一爲巴黎警官德默希(d'Hémery)在1748-1753年間，因監視作家活動而製作的紀錄表；其二爲1784年《文學法蘭西》(*La France Littéraire*)收錄的文人(gens de lettres)名單。根據丹屯的分析，作者處境最常見的兩種模式，依然是因出身或職業而能經濟獨立的古典紳士作者，和接受庇護主賞金或職務的作者[34]。然而，伏爾泰對「鬻文爲生的可悲物種」疾言厲色的批評透露出，一些嘗試掙脫舊制度思維羈絆的作者，已經開始走向完全依靠寫作酬勞維生之途。即便如此，對於大多數文學活動的參與者來說，思想或經濟上的獨立，和國王等權勢者提供的庇護和贊助之間，並無牴觸之處。

從上述的討論可以看出，「作者功用」的出現和著作所有權的概念定義的關聯，並不像過去認爲的那樣直接。那麼，「作者功用」的出現是否和傅柯所謂作者對論述「受罰的使用」，也就是作者的法律責任之間有所關聯？傅柯針對作者的法律責任，還另提出「書寫的危險」之說，即書寫受到法律指控的威脅[35]。這個問題的

34 Robert Darnton, "A Police Inspector Sorts His Files: The Anatomy of the Republic of Letters", in Darnton, *The Great Cat Massacre and Other Episodes in French Cultural History* (Basic Books. New York, 1984), pp. 144-89, and Darnton, "The Facts of Literary Life in Eighteenth Century France", in *The Political Culture of the Old Regime,* ed. Keith Michael Baker (Pergamon Press, Oxford 1987) pp. 261-91.

35 對於傅柯〈何謂作者？〉一文，有兩種解讀方式。第一種強調「作者功

答案，牽涉到國家和教會的查禁，與作者形象建構之間複雜的關係，並不是本章區區篇幅所能勝任。僅以16世紀中葉法國的情形爲例略加說明。巴黎神學院的禁書目錄，從1544年開始出版。在各個年份的目錄(1544、1545、1547、1551、1556)中，書名都以同樣的方式編排，即「根據作者名字的字母次序」。巴黎的索邦神學院的禁書目錄，不論是拉丁文書還是法文書，都以作者作爲分類書籍的基本原則。1544年版的目錄從“Andreae Althameri”、“Martini Buceri”開始，依照作者姓氏開頭字母順序排列來分類著作。即使匿名的著作也適用作者分類的原則，收錄在名爲「作者名不確定的圖書目錄」(Catalogus librorum quorum incerti sunt authores)和「作者名不確定的法文圖書目錄」(Catalogus librorum gallicorum ab incertis authoribus)的目錄中[36]。作者的法律責任，也以這種書籍檢

(續)

用」與個人和私有財產，在哲學與法律上定義的連結。(見Hesse, “Enlightenment Epistemology and the Laws of Authorship”, p. 109；其中指出：「傅柯認爲『作者』和『文本』之間的關係，在歷史上演變爲社會政治論述新主軸的文化化身，即擁有權利的個人和私有財產之間，不容侵犯的關係。」)第二種則強調「作者功用」乃是依附在國家和教會對書籍的查禁之上。(如Joseph Loewenstein在“The Script in the Marketplace”, p. 111中談到傅柯時，指出「他對教會和國家之關注書籍查禁，對現代意義作者的發展，具有幾乎決定性影響的主張，誠然別具洞見，但卻也忽略了書籍市場對此發展的影響。」)這兩種解讀各有偏重，前者強調的是18世紀，後者則是16世紀。

36 J. M. De Bujanda. Francis M. Higman, James K. Farge, *L'Index de l'Université de Paris, 1544, 1545, 1547, 1551, 1556* (Editions de l'Université de Sherbrooke, Sherbrooke; Librairie Droz, Geneva, 1985), 其中重製了許多索邦查禁書籍的目錄。另見James K. Farge, *Orthodoxy and Reform in Early Reformation France: The Faculty of Theology of Paris, 1500-1543* (E.J. Brill. Leiden. 1985). pp. 213-19. 關於禁書目錄在作者功用的確立上所扮演的關鍵角色，西班牙也有類似的情況，見Eugenio Asensio, “Fray Luis de Maluenda. apologista de la Inquisición, condemnado en el Indice

查的方式，編進了王權爲控制書籍的印刷、流通與銷售而制定的法律中。1551年6月27日的「夏托布里昂詔令」(the edict of Chateaubriant)，代表國王、高等法院和索邦神學院在書籍檢查合作上的高峰，其中第八條載明：

> 除了在效忠國王陛下，民風淳樸的市鎮裡，合法且長期經營的印刷商之外，其他人不得暗中從事印刷工作，也不具有合法地位。所有的印刷工作都必須由一位印刷師傅負責，該作坊印製的書籍上都必須載明印刷師傅的姓名、住址、商標和印刷日期，以及**作者的姓名**(粗體爲作者所加)。該師傅必須爲登記在他名下出版品的錯誤和缺失負責，不論錯誤或缺失是由他本人，還是在他的命令之下造成。

「作者功用」因此成爲一種威力強大的武器，用來對付可疑異端文本的傳播*。

然而，就異端書籍的壓制而言，一本遭禁書刊的作者所需負擔的法律責任，並不比印刷商、書商、書販或持有該書的讀者來得

(續)

Inquisitorial", *Arquivos do Centra Cultural Português* (1975). pp. 87-100, 引自Francisco Rico, "Introducción", *Lazarillo de Tormes* (Cátedra, Madrid, 1987), pp. 32-3: 在1559年禁書目錄下令嚴格禁止匿名出版**之前**(粗黑體爲作者所加)，匿名乃是西班牙娛樂和宗教類書籍的成規。如文學名著*La Celestina*以及繼起的仿效之作，都是匿名出版。騎士文學如*Lazarillo*及其續集也是如此。此外還有數量更多，披著文學外衣的宗教書籍等等。

* 〔中譯註〕「夏托布里昂詔令」是亨利二世(1519-1559)用以對付新教徒的措施之一，書籍查禁的主要目的也是針對異端書籍。

大。上述人等若遭控散播異端邪說，均有遭受火刑的風險。此外，判決通常不僅指控被告印刷和銷售禁書，還包括對被告的言論(不論是否出版)的指控。這正是歐格侯(Antoine Augereau)的下場，他是一位出身活字雕刻工的印刷商。1534年12月24日，他受到絞刑處決，屍身且遭焚毀於巴黎的莫貝爾廣場(Place Maubert)。關於他判決文的細節已無從稽考，不過從當時編年紀事作者對此事的記載，約可歸結出兩點：首先，強調歐格侯的印刷活動；他除了被判參與1534年10月17和18日，張貼宣傳反對彌撒布告的行動之外，還被指控「印刷非法書刊」，以及「印刷和販售路德的著作」。第二，關注他的異端言論，將他貼上「路德信徒」的標籤。高等法院且判決他雖具教士身分，但不得享有在主教法庭接受審判的特權，因爲他「被控發表和傳播顛覆天主教信仰和神聖教義的異端邪說。」[37]因此，歐格侯慘遭絞死焚屍的原因，包括身爲異端邪說言論的「作者」及其印刷活動。另一位人文主義學者印刷商多雷(Etienne Dolet)遭到判刑的原因也和歐格侯類似。他在1543年遭到索邦神學院指控，除了印刷禁書之外，還撰寫異端邪說，並爲異端書籍寫序[38]。雖然他因爲在1543年11月13日宣誓放棄異端言行，得以延期行

37 Jeanne Veyrin-Forrer, “Antoine Augereau, graveur de lettres, imprimeur et libraire parisien (d.1534)”, *Paris et Ile-de-France: Mémoires publiés par la Fédération des Sociétés historiques et archéologiques de Paris et de l'Ile-de-France,* 8(1956), pp. 103-56, reprinted in Veyrin-Forrer, *La lettre et le texte: Trente années de recherches sur l'histoire du livre* (Collection de l'Ecole Normale Supérieure de Jeunes Filles, Paris, 1987), pp. 3-50.

38 關於1543年多雷的審判，見Francis Higman, *Censorship and the Sorbonne: A Bibliographical Study of Books in French Censored by the Faculty of Theology of the University of Paris, 1520-1551* (Librairie Droz, Geneva, 1979), pp. 96-9.

刑，最終還是因爲相同的指控(印刷並販售禁書、爲異端書籍寫序)遭處絞刑，屍身連同查獲的禁書於1546年8月3日在莫貝爾廣場一同焚毀[39]。

就上述的討論而言，無論是從與國家或教會書籍查禁的關係，還是與著作所有權的關聯來看，「作者功用」都是深植於印刷文化之中，源自印刷帶來的根本改變。誠然印刷技術使得反抗權威的書籍，在傳布範圍上變得更廣、更加難以防範；印刷創造出的市場，也確實建立了在經濟上或象徵價值上獲益的作者、書商和印刷商，所必須遵守的規範。然而，事實可能並不盡然如此，因爲在書籍中，顯示文本歸屬於特定作者的特徵，並非印刷書籍專屬的產物，而是早見於印刷術出現之前的手抄書中。

這些特徵中最令人矚目的，是作者呈現在他著作書頁之上的形象。16世紀印刷書中常見的作者肖像，使文本作者獨一無二的形象一目了然[40]。作者或翻譯者的肖像，在某種程度上，賦予著作實際或象徵的特質，有時以英雄式的古典姿態現身，有時則以栩栩如生的眞實樣貌示人。作者肖像的功用，在於強調著作乃是個人原創性的表現。而在印刷書之前，作者的肖像早已出現在14、15世紀方言手抄書的裝飾畫中，通常以書寫動作的姿態呈現。這在皮桑

39　探討多雷案子的經典名作，見Lucien Febvre, “Dolet, propagateur de l’Evangile”, *Bibliothèque d’Humanisme et Renaissance,* 7 (1945), pp. 98-170, reprinted in Febvre, *Au coeur religieux du XVIe siècle,* 2nd edn (S.E.V.P.E.N., Paris. 1968), pp. 172-224, reprint edn. (Paris: LGF, livre de poche, 1984); *Etienne Dolet (1509-1546),* Cahiers V.-L. Saulnier, 3 (Collection de 1’Ecolc Normale Supérieure de Jeunes Filles, Paris, 1986).

40　Ruth Mortimer, *A Portrait of the Author in Sixteenth-Century France: A Paper* (Hanes Foundation, Rare Book Collection, Academic Affairs Library, University of North Carolina at Chapel Hill, Chapel Hill. 1980).

(Christine de Pisan)、法沙(Jean Froissart)、安茹的賀內(René d'Anjou)，以及佩脫拉克和薄伽丘的著作中都看得到。這些作者肖像畫就兩方面而言可說饒富新意。其一，正當法文「書寫」(escrire)和「撰寫者」(escripvain)兩字逐漸取得現代意義，指的不再只是抄寫，而是創作文本之際，書籍中的肖像也開始呈現作者親筆寫作的形象，而不再像過去的圖像，表現爲作者對著一位抄寫中的秘書進行口述。其二，早在14世紀初期，拉丁文作品便已透露書寫爲個人創意表現的意義；而上述肖像畫呈現的作者形象，意味此原創書寫意義已轉移至方言文學的作者身上。新作者形象以書寫動作呈現，打破過去將寫作等同於口述及抄寫(例如四福音作者〔Matthew, Mark, Luke and John〕與教會建立者〔Anselm, Jerome, Augustine, Pope Gregory I〕的形象是聖言的抄寫者)，以及認爲寫作只是在延續既有著作(例如經院哲學家的釋義和評註工作)的傳統觀念[41]。

作者與著作間更趨緊密的關係，除了在書頁裡躍然紙上的鮮明形象之外，還伴隨著另一種讀者不易察覺的機制，即作者對文本之出版形式的控制。1710年在倫敦由湯森(Jacob Tonson)出版的康格利夫《作品集》中，便蘊涵了作者介入出版過程的豐富訊息。在第一章中提到過，康格利夫之前出版的劇作都是以四開版分別出版。而在這一次出版的八開版《作品集》中，康格利夫賦予文本新的形式。例如以不同的場景分割劇作，並在人物對話中植入場景和走位的提示，都是四開版本所未見的。這些創新手法反映在劇本印刷的

41 手抄書中作者肖像畫的集成，見Paul Saenger, "Silent Reading: Its Impact on Late Medieval Script and Society". *Viator, Medieval and Renaissance Studies,* 13 (1982). pp. 367-414. esp. 388-90, 407.

方式上，包括場景的編號、在兩幕場景之間頁面上的裝飾圖案、每個場景開頭出場人物的介紹，以及書頁邊緣對開口發言的人物和出場入場的提示。這些在形式上援引自法國劇作出版脈絡的機制，將康格利夫的著作提升到一個新的地位。而這個新地位，又反過來促使康格利夫，修改一些他認爲不合這種新形式格調的細節[42]。

印刷商和作者之間的合約，是作者企圖掌控其著作出版的另一項證據。以16世紀的巴黎爲例，當作者打算自己出資印刷其著作，不論是自行販賣還是委託書商，在印刷形式的細節上，都煞費苦心。例如當時有一位叫貝希耶(Charles Périer)的書商兼印刷商，曾爲拉昂(Laon)主教多克(Jean Doc)製作其委託印刷的書籍。他稍後在一份於1559年5月11日簽訂的合約中承諾：

> 貝希耶將會按照合約規定，以之前爲多克閣下所用同樣的字母和相似的字體，印刷6冊四開版裝的《年節與安息日講道辭》(*Homélies des dimanches et festes de l'année*)。註釋也會加以校正。

42　關於1710年版的康格利夫作品集，見D. F. McKenzie. "When Congreve Made a Scene". *Transactions of the Cambridge Bibliographical Society,* 7, 3 (1979), pp. 338-42; McKenzie, "Typography and Meaning: The Case of William Congrevel" in *Buch und Buchhandel in Europa im achtzehnten Jahrhundert: The Book and the Book Trade in Eighteenth-Century Europe*, ed. Giles Barber and Bernhard Fabian (Dr Ernst Hauswedell. Hamburg, 1981), pp. 81-126.有關康格利夫與印刷文化間關係的描述，見Julie Stone Peters, *Congreve, the Drama, and the Printed Word* (Stanford University Press, Stanford, Cal., 1990).

至於將手稿交付書商，以換取免費印本或金錢報酬的作者，也同樣重視書籍的形式。前面提到過的古猶，在一份於1547年8月22日簽訂出版費那宏西的《值得重視的眞正星相學摘述》的合約中，表示會尊重「作者希望看到的出版模樣，即以法文印刷，並使用和他留在作者手中，一紙由公證人簽名認證的印刷文件所使用的相同字體，不得更改。」拉波特(Ambroise de La Porte)在1556年11月29日簽訂的合同中，也承諾會以合乎要求的方式，印刷特維(André Thevet)的《南法奇聞異事》(*Les singularitez de la France antarctique*)，其中「插圖刻印的方式係經前述的拉波特、特維以及雕版師波森(Bernard de Poiseulne)的同意。」最後一個例子是一份簽於1559年4月3日的合約，其中莫黑(Frédéric Morel)收到幾部勒華(Louis Le Roy)撰寫或翻譯的作品。作者要求「全都必須以大羅馬體或斜體印刷，字體需優美，紙質要精良，且全文不得有錯誤」[43]。上述的各份協議中，提到對於字體、紙質、版框和開數的規定，印證了作者企圖掌控其著作出版方式的意圖。

然而，作者掌控著作形式的意圖，並不是印刷書出現之後才有的事。如佩脫拉克爲了防止著作因抄寫錯誤而「面目全非到連作者都認不出來」，便曾提出能夠確保作者掌控著作生產和傳布的建議，即所謂的「原稿本」(author's book)，由作者親手抄寫複製，僅在小圈子當中流傳，用以防止職業抄寫者在傳抄副本時造成的錯

43 Annie Parent. *Les métiers du livre,* pp. 291, 297, 307, and 305. 另見Parent, "Ambroise Paré et ses 'imprimeurslibraires'", *Actes du Colloque International "Ambroise Paré et son temps"*, 24-5 November, Laval (Mayenne) (Association de commémoration du Quadricentennaire de la mort d'Ambroise Paré, Laval, n.d.), pp. 207-33.

誤。這清楚表明作者不希望其著作有違背或減損其原意的可能。文本在這種方式之下獲得控制和固定，便能爲作者與讀者之間建立直接而忠實的聯繫。這就是佩特魯齊(Armando Petrucci)所說：「從作者筆下散發出來的完美文本性，對讀者來說，永遠是可讀性的絕對保證。」[44]雖然佩脫拉克以身作則，親力親爲抄寫自己的著作，但他提出的「原稿本」建議，在當時手抄書生產節約人力成本的考量下，並未成爲主流。不過，佩脫拉克的建議顯示早在14世紀，「作者功用」的主要特徵之一，即從書籍的形式解譯作者意圖的可能性，便已經出現。

以作者作爲論述歸屬標準的「作者功用」，更爲直接而具體的表現，是單一著作與單一書品的結合。然而長期以來，這種情況並未出現在方言文本中。例如手抄書最主要的形式，像是筆記簿(義大利稱作libro-zibaldone)這種以中型或小開本爲主，外表未經裝飾的手抄書，其撰寫者在未曾留意排列順序的情況下，以草書字體抄錄自己讀過的各類文字；文體包括散文或韻文，內容有關祈禱、技術知識、資料性文字或詩句等等。像這樣紛紜雜沓之物，乃是由不熟悉傳統手抄書抄寫規範的俗世之人所生產。對他們來說，抄寫乃是閱讀必經的過程。這種方言手抄書的實踐，很明顯和「作者功用」毫無關係。這樣漫無章法的文字之所以能構成單一書品，只是因爲書籍的閱讀對象就是撰寫者本人[45]。即使在熟悉書寫文化的專

44 Armando Petrucci, "Il libro manoscritto", in *Letteratura italiana,* ed. Asor Rosa, vol. 2, pp. 499-524, esp. 516-17. 關於作者管控抄寫者的一個例子，見 Peter J. Lucas, "John Capgrave O.S.A. (1395-1464): Scribe and 'Publischer'", *Transactions of the Cambridge Bibliographical Society*, 5, 1 (1969) pp. 1-35.

45 Petrucci, "Il libro manoscritto", pp. 512-3, 520-2.

業人士，如官員、公證人和秘書所構成的讀者群中，各不相同的編纂形式(如範例、格言、諺語、寓言、故事、抒情詩等)，都使一本手抄書中包含多位作者，因此削弱了「作者功用」以作者區別著作的功能。例如在切古里尼(Jacqueline Cerquiglini)從14和15世紀抒情詩選集中，區分出的三種類型裡面，只有一種由詩人自己彙編個人作品的文集，稱得上完全展現「作者功用」。另外兩種類型，不論是以詩人爲收錄對象(包含多位詩人)，還是以文類爲收錄對象的文選，呈現作者的方式，若非匿名，就是使用項目列表。這兩種書籍類型，實際上反映了在當時的友人圈或君主宮廷裡，文學創作被視爲一種交誼活動或遊戲的情況。像這類在社交活動中形成的書籍，距離個人化的作品還相當遙遠[46]。

然而，在印刷書的出現(意外地延續了一些文類編纂文集的傳統)之前，單一著作與單一手抄書結合，歸屬在獨一無二作者名下的現象，其實已經出現在一些方言著作中。例如佩脫拉克便是一個例子。一項翔實的研究顯示，佩脫拉克主要的方言著作《凱歌》(*I trionfi*)，在14、15世紀時，是以手抄書的形式流傳[47]。重點在於，首先，這項研究檢視的424本手抄書中，只收錄佩脫拉克著作，如《凱歌》，或《義大利語抒情詩選》(*Rerum Vulgarium Fragmenta*)

46 Jacqueline Cerquiglini, “Quand la voix s’est tue: La mise en recueil de la poésie lyrique aux XIVe et XVe siècles”, in *Der Ursprung von Literatur: Medien, Rollen, Kommunikationssituationen zmischen 1450 und 1650*, ed. Gisela Smolka-Koerdt, Peter M. Spangenberg, Dagmar Tillmann-Bartylla (Wilhelm Fink Verlag, Munich, 1988). pp. 136-48.

47 Gemma Guerrini, “Il sistema di communicazione di un ‘corpus’ di manoscritti quattrocenteschi: I ‘Trionfi’ del Petrarca”, *Scrittura e civiltà*, 10 (1986). pp. 122-97.

等作品的手抄書占62%。而同時收錄佩脫拉克與其他作者作品的手抄書，則占37%。顯然在手抄書時代的晚期，一本書與爲書提供一致性保證的作者之間的緊密關聯已然確立。但仍有跡象顯示，即使如佩脫拉克這般形象鮮明的作者，其著作依然有與其他作者混編的情況。其次，値得注意的是，作者的獨一無二勝過了著作的獨一性。在上述研究中，僅收錄《凱歌》的手抄書只占總數的25%，不及同時包含佩脫拉克兩種以上著作(包括信件在內)的手抄書所占的37%。雖然中世紀就已經出現專屬於單一作者的書籍，但作者的一項著作就是一本書的現代「書籍」概念，乃是由單一作者的著作合集慢慢演變而成。更重要的是，從14-15世紀，「作者功用」在書籍的定義上，扮演越來越重要的角色。在上述研究中，14世紀前半葉的79本手抄書裡面，只包含佩脫拉克著作，和同時收錄佩脫拉克與其他作者著作的手抄書，比例是53%對46%，兩者可說不相上下。然而隨著時間演進，兩者之間的差距越來越大，只收錄佩脫拉克著作的手抄書占的比重日漸增加。在14世紀下半葉248本手抄書中，兩者的比率分別是63%和37%；到了15世紀，差距更爲懸殊，在78本手抄書當中，只收錄佩脫拉克著作的比率高達74%，而混編其他作者著作的手抄書只占26%。

由上述討論的脈絡看來，傅柯確實正確地觀察到中世紀手抄書時代的作者形象。但他假設由於中世紀「文學」著作匿名的成規，故作者作爲分類論述的功用只適合「科學」的著作，似乎有些禁不起檢驗。其實，重點並不在「科學」或「文學」的分別，而是必須在古代權威作者——不只有傅柯提到的普立尼和希波克拉底，還有亞里斯多德和西塞羅、聖傑洛米(saint Jérôme)和聖奧古斯丁，以及聖大亞伯(St. Albert the Great)和文森・德波維

(Vincent de Beauvais)*的著作——和「作者功用」賴以形成的幾位「文豪」——例如義大利是但丁、佩脫拉克和薄伽丘——的方言著作之間，做出根本的區別，如此便可看出作者形象在歷史上演進的軌跡。以作者的姓名指稱及區隔文本的原則，從原本只適用於那些被視爲古代權威，且不斷受徵引、註解和評論的經典，逐漸被應用在方言著作之上。

由是之故，傅柯認爲「作者功用」在17或18世紀，發生從科學著作轉而適用於詩和小說等文學著作的根本改變，實有待商榷。倘若文學著作上種種匿名的做法(如隱藏、僞裝或冒名)，事實上反而肯定了作者作爲歸屬著作的原則[48]。則傅柯認爲科學著作忽略作者姓名，轉而以經科學社群同意的「事實」歸屬文本的「匿名」做法，似乎也未必站得住腳。長期以來，特定的姓名一直是經驗値得信賴，或陳述可以採納的保證，尤其是姓名所指涉的人物，其身分

---

* 〔中譯註〕聖大亞伯，中世紀著名道明會神學家；文森・德波維，法國國王聖路易(Louis IX)的講道神父。

48 Maurice Laugaa, *La pensée du pseudonyme* (Presses Universitaires de France, Paris, 1986), esp. his analysis (pp. 195-221, 255-78) of Adrien Baillet, *Auteurs déguisez sous des noms étrangers: Empruntez, Supposez, Feints à plaisir: Chiffrez, Renversez, Retournez, ou Changez d'une langue en une autre* (Antoine Dezallier, Paris, 1690). 關於抗議假冒作者的案例，可參見Lope de Vega在《回憶錄》中對於〈報導、詩節以及其他詩類作品〉("Relaciones, Coplas, y otros géncros de versos")一文的實際作者們所做的抨擊：「他們不僅印刷出版、還在街頭上宣傳這篇文章的作者們乃是Alonso de Ledesma、Niñan de Riaza、Baltasar de Medinilla和Lope de Vega，以及其他在這類寫作因其著作或研究而素有聲譽之人。這種僞託的做法對當事人的名譽甚至生命造成巨大的傷害，他們因此被控出版諷刺全體市民，以及城內以頭銜、職位和高貴行止知名的人士。關於此篇文章的出版和分析，見María Cruz García de Enterría, *Sociedad y poesia de cordel en el barroco* (Taurus, Madrid. 1973). pp. 85-130.

地位就具有使陳述成爲眞實的說服力[49]。然而，和傅柯所言不同，從事科學研究的學者和實驗者，雖然將個人隱身在擁有貴族地位權威的科學社群之中，但這並不是導致科學論述採用匿名方式發表的原因。事實上，傅柯認爲「科學著作唯有冠上古代權威作者的鼎鼎大名，才是信實可徵保證」之說，僅適用於中世紀科學論述的看法乃是一種誤解，因爲在17、18世紀，也有科學著作，展現出這種傅柯以爲中世紀才有的特徵。因此，不論在中世紀還是17、18世紀，科學著作的「作者」，指的都是其社會地位能夠賦予智識論述權威的人物。

那麼，究竟「何謂作者？」本章提出的一些省思，並不是想要爲這一問題提出解答。我想強調的是，書籍史的各種面向與這個問題之間的關聯。我們不應該將作爲歸屬著作主要標準的「作者功用」，過度簡化爲一成不變的公式，也不該將它的形成限定在某個決定性的因素，或一個獨特的時間點上。本章檢視了對「作者」的發明來說至關重要的三組機制，分別是法律、權威管控[50]與物質性，希望能開拓一個未來可以繼續研究的領域。畢竟深植在書籍當中的「作者功用」，決定了所有區別論述的企圖，並主導著作出版的規則，乃是所有和文本的生產、形式與閱讀相關之問題的核心。

---

49 Steven Shapin, "The House of Experiment in Seventeenth-Century England", *Isis,* 79 (1988), pp. 373-404.

50 關於印刷出版中，書籍查禁因素的存在，對書寫策略的影響，見 Annabel M. Patterson, *Censorship and Interpretation: The Conditions of Writing and Reading in Early Modern England* (University of Wisconsin Press, Madison, Wis., 1984), 特別是其中的"Prynne's Ears; or, The Hermeneutics of Censorship", pp. 44-119.

第三章　沒有牆的圖書館

這裡所舉的例子，足以讓一位天資穎悟的圖書館員，明瞭圖書館的基本法則。這位思想家觀察到，所有的書籍，不論彼此之間多麼南轅北轍，都是由相同的元素構成的，也就是空間、句點、逗點以及22個字母。他還指出一個所有圖書館的旅人都曾確認無誤的事實：「在廣闊浩瀚的圖書館中，沒有兩本書是相同的。」他從這兩個毋庸置疑的前提當中，推論出圖書館是包羅萬象的，書架上的書籍足以表現二十幾個字母所有可能的拼法(縱然有非常多種組合，但並不是無限的)，也就是說，涵蓋所有語言中一切可能表達的事物。例如：未來鉅細靡遺的歷史、大天使們的自傳、可靠的圖書館目錄、成千上萬的假目錄、假目錄錯誤的揭露、正牌目錄錯誤的揭露、巴西里德斯(Basilides)的諾斯替教派福音書、諾斯替福音書的註釋、諾斯替福音書註釋的註釋、關於你的死亡的翔實敘述、每一本書籍所有語言的翻譯、所有書籍中每一本書籍的竄改。當談到圖書館囊括了所有的書籍時，人們的第一個反應總是，此乃不敢奢求的幸福[1]*。

「當談到圖書館囊括了所有的書籍時，人們的第一個反應總是，此乃不敢奢求的幸福。」一座收藏自人類有史以來累積的一切知識，和寫下的所有書籍的圖書館，一直是西方文明的夢想(以各種樣貌表現)。這個夢想是撐起君王、教會，和私人圖書館的內在精神；它爲執著於珍稀古籍和失傳文本的追尋賦予意義；它主導了建造足以容納全世界記憶的宏偉建築計畫。

1785年，布雷(Etienne-Louis Boulée)在這樣的動機之下，爲國王圖書館(Bibliothèque du Roi)的重建方案提出了一個計畫[2]。這位建築師的主要構想，是要利用既有的建築物，將原本長方形的內花園(100×30公尺)以半圓柱形的拱頂覆蓋，完工後將成爲全歐洲最大的閱覽室。這座「巨型長方體建築」以拱頂上的天窗採光，兩旁排列著四道與書架平行的階梯。在最上層的書架之上，則是一整排的廊柱。廊柱一路延伸到建築物的兩端，與半圓柱形拱頂的圓拱交接，形成像是凱旋門般的結構，「下方則可擺放兩座寓言雕像」。在這座閱覽室中，書架上的著作，均安放在徘徊其中的讀者舉目可見，隨手可得之處，或者也可以用人龍的方式取書：「在各處各層

1 Jorge Luis Borges. “The Library of Babel”, in Borges, *Labyrinths: Selected Stories and Other Writings,* ed. Donald A. Yates and James E. Irby (New Directions, New York. 1964), pp. 54-5.

* ［中譯註］本段譯文參考王永年等譯，《波赫士全集》1(臺北：臺灣商務印書館，2002)，頁623-624。

2 關於布雷的設計，見Jean-Marie Pérouse de Montclos, Etienne-Louis Boullée (1728-1799): *De l'architecture classique à l'architecture révolutionnaire* (Arts et Métiers Graphiques, Paris. 1969), pp. 166-7 and plates 96-102.

書架均安排人員，以徒手交遞的方式傳送書籍。」

附在描述這份計畫的《回憶錄》(*Mémoire*)中的透視圖，以及布雷所呈現的模型當中，可以見到身著羅馬式長袍的讀者微小的身影(肉眼能辨識的共有44個)。他們或徘徊在書架之間，或佇足，或閱讀；也有一些群聚圍繞在少數幾張桌子旁邊。這樣的安排所要表達的訊息十分清楚：一個專為閱讀而建立的長方形建築空間，恢復了教會建築已經喪失的神聖特質；做研究就像一趟在書籍之中的旅行，不時地因為前進與佇足、獨自閱讀和博學的對談而走走停停。

布雷承認他閱覽室的設計構想，是來自於拉菲爾的「雅典學院」，但兩者之間有相當大的差異。在梵蒂岡簽字大廳(Stanza della Segnatura)的濕壁畫「雅典學院」中，只描繪了少量的書籍，握在正進行創作或抄寫的畫中人物手中。而在布雷的構圖中，保存在國王圖書館中成千上萬的書籍，則構成了一個普世的知識體，濃縮精鍊為一個寶庫。因此，布雷在透視圖中表現的觀點，不像「雅典學院」的構圖那樣，將建築呈現為開放的柱廊，以凸顯人物的重要性，並表達創造論述的力量(也就是由門徒簇擁著的柏拉圖和亞里斯多德)；而是將視線集中在兩個焦點之上，一個是標誌著無知的世俗世界，與菁英的學術世界之間分野的圖書館大門，另一個則是一座古典造型的寓言雕像，象徵作為孕育新思想之基礎，必須集中研究的知識遺產。

然而，集中全人類的書寫遺產於一處，業已證明為不可能達成的任務。印刷生產出浩如煙海的書籍和版本，使得囊括所有書籍於一處的希望盡數落空。即便對於抱持著圖書館應該包羅萬有之理想的人們來說，篩選仍然是不可避免的。這正是諾德(Gabriel Naudé)在他的《建立一座圖書館的建言》(*Advis pour dresser une*

Bibliothèque，以下簡稱《建言》)中所持的態度。這本書寫於1627年，呈獻給巴黎高等法院法官兼書籍收藏家麥斯莫(Henri de Mesmes)[3]。諾德提出不同於爲私人樂趣服務的圖書室(cabinet curieux)、收藏室(cabinet choisi)，這類僅著眼於收集一小批特別稀有或精美書籍的計畫。他主張應該要建立一座收藏豐富的圖書館，因爲「大量裝訂牢靠的平裝書，要比那些藏在金碧輝煌但光線不足的小房間或收藏室裡，外觀裝飾極盡精美之能事的書籍，來得更有用處，也更符合人們的需求。」[4] 圖書館建立的目的，並不是用來滿足個人的自我享受，因爲「就博取美名的手段而言，沒有比建立宏偉壯觀的圖書館，並將它開放給公眾使用的做法，更爲誠實可靠。」[5] 這樣高貴的謀劃有其必然的結果：

> 這是爲什麼我一直認爲，既然設計爲公用的圖書館，其收藏必須是世界性的，那麼最好的做法，就是收集所有種類的書籍(但有一些必要的限制，我會在後面討

---

3 Gabriel Naudé. *Advis pour dresser une bibliothèque,* reproduction of the 1644 edition, preceded by Claude Jolly, "L'Advis, manifeste de la bibliothèque érudite" (Aux Amateurs de Livres, Paris 1990). 有關諾德的著述，見Jean Viardot, "Livres rares et pratiques bibliophiliques", in *Histoire de l' édition francaise,* ed. Henri-Jean Martin and Roger Chartier, 4 vols (Promodis. Paris. 1982-6), vol. 2, *Le livre triomphant: 1660-1830,* pp. 446-67.特別是pp. 448-50, reprint edn (Fayard/Cercle de la Librairie, Paris, 1900), pp. 593-614; Viardot. "Naissance de la bibliophilie: Les cabinets de livres rares", in *Histoire des bibliothèques francaises,* 3 vols (Promodis/Cercle de la Librairie, Paris, 1988-91), vol. 2, *Les bibliothèques sous l'Ancien Régime,* 1530-1789), ed. Claude Jolly, pp. 269-89. esp. 270-1.

4 Naudé, Advis, p. 104.

5 Ibid., p. 12.

> 論)。假如不能包含所有能就各種不同面向，探討特定議題的重要作者，那麼它也就不成爲名副其實的圖書館[6]。

雖然在理想上，圖書館應該由「不計其數的傑出著作」所構成，但實際上，圖書館的雄心壯志必須有所妥協，要在書籍之中做出選擇：

> 然而，爲了限定收藏量，必須對藏書做出定義。同時，爲了讓求知若渴的人們，對這個了不起的大事業仍能抱持著一線希望，我認爲似乎應該仿效醫生依據藥物品質，決定訂購多少數量的做法，也就是說，我們應該持續不斷地蒐羅那些，符合圖書館要求的品質和條件的書籍[7]。

因此，諾德的《建言》具有指引收藏家的功能，因爲他做出了必要的篩選與恰當的「限制」，指出了在他的圖書館中不可或缺的作者和著作。

在必不可少與可有可無的書籍之間做出區分，只是在不可能建立普世圖書館的前提之下做出的妥協。除此之外還有其他的因應方式，例如在17和18世紀的語言中，定義書籍存放之處的字彙bibliothèque。在弗爾提耶的《通用字典》(1690)中，此字的第一

6　Ibid., p. 31.
7　Ibid., p. 37.

個，也是最傳統的定義如下：「Bibliothèque：專門用來放置書籍的屋舍或處所；充滿書籍的陳列室或建築物。一般也指放在上述空間中的書籍。」接下來是第二個定義，指的是一本書，而不是一個地點：「Bibliothèque也指包含幾部同類型著作的文集，或包括編纂相同議題不同作者著作的一本文集。」

在《建言》中，諾德稱讚文集具有很多優點，因爲可以在一本書中容納許多個「圖書館」：

> 首先，它們爲我們省卻了尋找那些永遠找不盡的，極度稀有又吸引人的書籍的麻煩；其次，它們能夠省下空間，紓解圖書館的壓力；再者，它們將許多作品收集在一冊書中，爲我們省去了東奔西跑尋找的麻煩；最後，它們以較便宜的價格出售，爲我們省下了個別購買所需支付的差價[8]。

在拉丁文中，用來指稱文集的字彙差別很大，如thesaurus、corpus、catalogus、flores等等。而在法文當中，通常只用bibliothèque一字。在弗賀提耶的《通用字典》出版後四年出版的《法蘭西學會字典》，正印證了這個傾向：「bibliothèque可以指同類型作品的文集或是合集。」在這個定義之下舉了三個例子：「《教父文集》(*La Bibliothèque des Pères*)、《新版教父文集》(*La Nouvelle Bibliothèque des Pères*)、《法蘭西法學合集》(*La Bibliothèque du Droit François*)。」

---

8 Ibid., p. 57.

18世紀的出版商大量出版這類多冊數的文集，將某一特定文類(如小說、故事或遊記)過去曾經出版過的著作集合在一起。不過並不是所有這種文集都以bibliothèque作為書名。例如由普雷沃神父(abbé Prévost)撰寫，時間橫跨1746-1761年的《遊歷簡史》(*Histoire générale des voyages*)，在1746年問世之後到1789年之間，除了以四開大小分為16冊出版，也曾以十二開大小，分為80冊出版。另外像嘉尼耶(Charles Garnier)出版的兩部著作，《仙女故事集》(1785-9)(*Cabinet des fées*)是八開裝，共41冊；《想像之旅，夢想、幻覺和魔幻小說》(1785-9)(*Voyages imaginaries, songes, visions, et romans cabalistiques*)也是八開裝，共39冊。這幾本文集便不是以bibliothèque為名。而許多文集之所以名為bibliothèque，其實是仿自阿姆斯特丹的勒克萊(Jean Le Clerc)所編輯期刊的名稱，像是《世界與歷史文集》(1686-93)(*Bibliothèque universelle et historique*)、《文選》(1703-13)(*Bibliothèque choisie*)，以及《作為日後世界文集之用的古今文集》(1714-27)(*Bibliothèque ancienne and moderne: Pour servir de suite aux Bibliothèque universelle et choisie*)等等。總體而言，從1686-1789年，共有31種法文期刊以bibliothèque為名發行，其中有些發行時間較長，有的則壽命很短[9]。Bibliothèque這個名稱的使用跨越了整個18世紀，在1750年之前，有17種刊物以此為刊名，在之後則有14種。其中有些刊物其實算不上是期刊，而是卷帙浩繁的文集，因文類相同或發行對象相近而集結成書。像是《小說大全》

9　Jean Sgard, ed., *Dictionnaire des journaux* 1600-1789 (Universitas, Paris, 1991), items nos 144-74.

(*Bibliothèque universelle des romans*；巴黎，1775-89，十二開本，224冊)，以「期刊形式呈現，包含了古代和現代、法文和翻譯小說的討論和分析」，同時也收錄精選和摘要、歷史或批評的註釋，以及不論是古老的還是原創的小說或故事文本，且皆未經刪節[10]。另一個例子是《女士通用文集》(*Bibliothèque universelle des dames*；巴黎，1785-97，十八開本，156冊)，包含遊記、小說、歷史、道德、數學、天文、物理和博物學，以及所有的人文學科，展現了百科全書般無所不包的企圖心。

這些數量龐大的文集「圖書館」，連同百科全書形式的出版品和字典，構成了18世紀大型出版生意的主體。如同梅希耶(Louis-Sébastien Mercier)指出，它們確實造成了知識，或至少是一種文學興趣的傳播，並爲許多被輕蔑地稱爲「三流作家」(demi-littérateurs)或「文丐」(écrivailleurs)者，提供了煮字療饑的機會。梅希耶如此說道：

> (出版商)潘庫克(Panckoucke)與文桑(Vincent)將生意委託給任何自備抄寫員的字典編纂者；冊數按字母順序編成，就像建築按月份進行建造。作品實在是勞力的成果。雖然學者們抱怨其中有許多錯誤，但科學難道不該從高高在上的學院降入民間嗎[11]？

---

10 Roger Poirier. *La Bibliothèque universelle des romans: Rédacteurs, textes, publics* (Librairie Droz, Geneva, 1977).

11 Louis-Sébastien Mercier, Tableau de Paris, *Nouvelle édition revue et augmentée,* 12 vols (Amsterdam, 1782-3), vol. 6, Dictionnaires, pp. 294-5.

在18世紀，與以窮盡所有類別、包含一切既有領域爲目標的「圖書館」相對的，是大量流行，體型輕巧、易於翻閱又攜帶方便的小本書，稱作精選集[12]。

這些各以「提煉萃取」(extraits)、「精神精華」(esprits)、「摘要精義」(abrégés)或「梗概分析」(analyses)等爲書名的精選集，是書籍生意所造就另一種形式的「圖書館」。即便合集和精選集都強調「提煉萃取」，但兩者的目的並不相同。精選集的意圖是刪削、篩選和精簡。而合集，不論是否以期刊方式出刊，則是要將大量分離、散失的文本集於一書。假如編纂文集或合集的目標，是要盡最大努力達成不可能的任務，即爲每一個讀者，收集每一個特定領域所有的書籍，那麼，文摘與精選的做法，就間接指出這個任務根本大而無當，或是有害無益。因爲必不可少的知識在一小部分著作當中就可以取得，而它們就像化學物質一樣，必須經過濃縮或蒸餾。這種精選集於是和18世紀的烏托邦想法不謀而合。後者認爲包羅萬象的圖書館只不過是大而無當、華而不實；理想的圖書館只需要保留不可或缺的書籍就夠了。

梅希耶在他1771年的烏托邦，或精確的說，他的「科幻小說」(uchronia)《公元二四四〇年》(*L'An 2440*)中，參觀了國王的圖書館，並發現了奇特的景象：「看不到通常堆滿成千上萬書籍的四個大房間，取而代之的是一間小圖書室，裡頭擺了些在我看來不算多的書。」一頭霧水的梅希耶，於是向圖書館員詢問究竟發生了什麼事。館員回答道，在那些被判定爲「膚淺、無用或危險」的書籍遭

12　例如Hans-Jürgen Lüsebrink, "L" 'Histoire des Deux Indes' et ses 'extraits': Un mode de dispersion textuelle au XVIIIe siècle', *Littérature,* 69, "Intertextualité et Révolution" (February 1988). pp. 28-41.

到焚毀之前，西元25世紀的啓蒙人士拯救了其中的精華，它們並不太占空間：

> 由於我們既厭惡不公不義，又不像薩拉森人*那樣把傑作拿來加熱洗澡水，因此我們必須做出選擇：智者從一千冊對開書中提煉出精要，然後將之轉化爲一冊十二開的小書。這某種程度來說，就像是技藝精湛的化學家，從植物中萃取出精華，濃縮在燒杯之中，然後將凡俗的酒精拋在一旁。我們已經節錄了最重要的部分，重印了最精華的片段，且全都依據眞實的道德原則加以修正。這些書籍的編纂者都是可敬的愛國人士，擁有鑑賞的能力。憑藉心中具有創造力的尺規，他們得以攫取精華，捨棄糟粕[13]。

存在於無所不包與去蕪存菁之間的張力，形塑了一般由空間與建築定義的圖書館，與作爲一種印刷出版類型(其中有一部分直接以bibliothèque爲書名)的書籍之間，複雜而矛盾的關係。這種印刷類型賦予單冊精選或是整套合集，如同實體圖書館一般的聚積或篩選的功能[14]。

---

* 〔中譯註〕即阿拉伯人。

13 Louis-Sébastien Mercier, *L'An* 2440: *Rêve s'il en fut jamais,* ed., introduction and notes by Raymond Trousson (Edi-tions' Ducros, Bordeaux. 1971), chap. 28, "La bibliothèque du roi". pp. 247-71, quotations pp. 247-8, 250-1.

14 Jean Marie Goulemot, "En guise de conclusion: Les bibliothèques imaginaires (fictions romanesques et utopies) ", in *Histoire des bibliothèques francaises,* 2:500-11.

但圖書館並不只是一個地點或一套文集。弗爾提耶的《通用字典》中還提出了第三個定義(不見於《法蘭西學會字典》較爲簡短的說明)：「Bibliothèque也指記錄圖書館書籍目錄的書籍。傑斯內(Gesner)、波瑟文(Possevin)和佛提烏(Photius)都曾編寫過這種目錄書……一位名叫拉貝神父(Father Labbé)的耶穌會士，曾經編過一本八開大小的《圖書館目錄總集》(*Bibliothèque des Bibliothèques*)，是一本僅收錄曾經編寫過圖書館目錄的作者姓名的目錄。」[15]對任何希望能設計一座開放式世界性圖書館的人來說，擁有這樣的目錄書是不可或缺的。這些目錄書中書目的總和，造就了一座理想的圖書館，不受任何實際收藏量的制約，也超越了精選集和文集的限制。在這個不具實體的，收納各個圖書館的「圖書館」(目錄書之意)當中，幾乎沒有什麼是被遺漏的。諾德曾告訴他的談話對象說，集中並抄寫圖書館的目錄，乃是一種責任：「我們不應該輕忽謄寫所有目錄的重要性，不只是那些古往今來，公共或私人的偉大著名圖書館的目錄，還包括那些通常受到忽視，埋沒在永恆沉默之中的私人書齋的目錄。」對於這樣的要求，諾德提出諸多理由，其中之一是：「當我們無法提供朋友他缺少的書籍時，這些目錄就可以派上用場，起碼能正確地告知他可以在何處找到他要

15 弗爾提耶所指者，不只是傑斯內的*Bibliotheca universalis*還包括波瑟文的*Bibliotheca selecta qua agitur de ratione studiorum* (Ex Typographia Apostolica Vaticana, Roma, 1593; Venice. 1603; Cologne 1607)、佛提烏的*Myriobiblion sive Bibliotheca librorum quos legit et censuit Photius... Graece edidit David Hoeschelius... et notis illustravit, latine vero reddidit et scholiis auxit Andreas Schottus* (Rouen, 1653, after the Greek and Latin editions published in Augsburg in 1601 and 1606); Philippe Labbé, S.J., *Bibliotheca bibliothecarum curis secundis auctior* (L. Billaine, Paris. 1664; Rouen, 1672).

的書。」[16]由於書籍目錄的流通，私人圖書館封閉性的收藏才得以爲人注意、翻閱、查詢和借閱。

接下來，弗爾提耶的定義從特定收藏者的目錄，轉向另外一種著作。一本稱之爲bibliothèque的目錄書，並不只是特定收藏的書籍清單，它還可以是針對特定主題，所有曾經撰寫過的著作目錄，或某個國家所有作者著作的目錄。因此弗爾提耶寫道：「法國還尚未有一份全面的作者目錄書。至於針對特定對象編纂的目錄書，則有拉克瓦杜曼和杜維迪所做的編目。西班牙也有安東尼歐(Nicolas Anthonio)編的目錄。另外在1608年，還有培瑞古努(Peregrinus)的《西班牙著作目錄總集》(*Bibliothèque d'Espagne*)，以及史考特(André Schot)的《西班牙作家目錄總集》(*Bibliothèque des Escrivain Espagnol*)。」[17]故《通用字典》此處以bibliothèque指稱的書類，乃是根據兩種判斷標準來定義，也就是列出作者，並以國家爲分類架構(如法國、西班牙等)。

到了17世紀末，這類目錄書的出版已經有一段長遠的歷史[18]。

---

16 Naudé, *Advis,* pp. 22, 24.

17 弗賀提耶提到的兩本西班牙「目錄書」，指的是Nicolás Antonio, *Bibliotheca hispana, sive Hispanorum qui... scripto aliquid consignaverunt notitia* (Rome, 1672;1696)和Andreas Schott or Andreas Schott Peregrinus, S.J., *Hispaniae bibliotheca, seu de academiciis ac bibliothecis; item elogia et nomenclator clarorum Hispaniae scriptorium* (Frankfurt, 1608).

18 Theodore Besterman, *The Beginnings of Systematic Bibliography* (Oxford University Press, Oxford; Humphrey Milford, London, 1935); Luigi Balsamo, *La bibliografia: Storia di una tradizione* (Sansoni, Florence, 1984), 英譯本爲 *Bibliography: History of a Tradition,* tr. William A. Pettas (B. M. Rosenthal, Berkeley, 1990). Helmut Zedelmaier, Bibliotheca Universalis und *Bibliotheca Selecta: Das Problem der Ordnung das gelehrten Wissens in der frühen Neuzeit* (Böhlau Verlag, Cologne, Weimar, Vienna, 1992) 此書出版

早在1550年之前就出現了三部：崔桑(Johann Tritheim)的《卓越人士——以其才智和著作在所有領域上爲德意志增添光彩者——目錄總集》(美因茲，1495)(*Cathalogus illustrium virorum Germaniae suis ingeniis et lucubrationibus omnifariam exornantium*)、傑斯內(Conrad Gesner)的《通用目錄總集：所有拉丁文、希臘文和希伯來文作家著作目錄》(蘇黎世，1545)(*Bibliotheca Universalis, sive Catalogus omnium scriptorium locupletissimus, in tribus linguis, Latina, Graeca, et Hebraica*)，以及巴爾(John Bale)的《大不列顛卓越作家總錄》(伊普斯維奇，1548)(*Illustrium Maioris Britanniae Scriptorum*)。這三部著作有幾個相同的特徵：它們都以拉丁文寫成、所列出的大部分都是古代的作者，還有它們偏重以古典語文書寫的作品。除了這些相似之處外，它們在選擇上有各自的考量。首先是關於架構的選擇。崔桑與巴爾選擇以一國的領土範圍爲架構(崔桑是德意志、巴爾是大不列顛。後者作品的全名就限制了該書的範圍：《大不列顛卓越作家總錄：包括英格蘭與蘇格蘭》(*Illustrium Maioris Britanniae Scriptorum, Hoc Est Angliae, Cambriae, ac Scotiae Summarium*)；傑斯內則不同，選擇以全人類爲範圍。其次，則是關於著作的名稱。崔桑與巴爾(在1557年的新版中)使用傳統的「目錄」(catalogus)一字作爲書名。而傑斯內則有所創新，以嶄新的方式使用原意爲「圖書館」的bibliotheca一字，使之超越原本的物質定義，以呼應該書提出，沒有牆的圖書館的概念。第三，是這三部著作在組織上的不同。崔桑與巴爾採用按年代順序排列的結構(後者載明「對於從紀元元年到1548年間各種不同的學說，以

(續)

於本章以論文形式發表之後。

世紀爲區分單位，每個時代再依據年代順序」)，提供按字母順序編排的書目表，以利著作的查詢。傑斯內則與眾不同，雖然也採用字母順序，但卻是以一種中世紀的形式(不同於崔桑和巴爾)，並且按照洗禮名，也就是作者的名字(而不是姓)，來分類作者。他宣稱其目錄書具有總體或全面性，乃是以通盤的調查爲前提，記錄了古今印刷書和手抄書，以及博學多聞和學問一般的作者。冗長的標題首先說明此書的內容，涵蓋「所有拉丁文、希臘文和希伯來文作家——不論是還在世的或已過世的，古代的還是當代的，學者或非學者——已出版或已收藏於圖書館的著作目錄。」隨後，則聲明此書的雙重益處：「此份嶄新且必要的著作，不僅有助於公共和私人圖書館的建立，也對所有知識領域學者的研究工作貢獻良多。」[19]

19 關於傑斯內作爲書目學家的研究成果十分豐碩，見：Jens Christian Bay, "Conrad Gesner (1516-1565): The Father of Bibliography: An Appreciation", *Papers of the Bibliographical Society of America,* 10 (1916), pp. 53-88, 此外另有一文：*Conrad Gesner, The Father of Bibliography: An Appreciation* (Chicago. 1916); Paul-Emile Schazmann, "Conrad Gesner et les débuts de la bibliographie universelle". Libri (1952/3), pp. 37-49; Josef Mayerhöfer, "Conrad Gessner als Bibliograph und Enzyklopädist", Gesnerus, 3/4 (1965), pp. 176-94; Hans Widman, "Nachtwort", in Konrad Gesner, *Bibliotheca universalis und Appendix* (Otto Zeiler Verlagsbuchhandlung, Osnabrück. 1966), pp. i-xii; Hans Fischer, "Conrad Gesner (1516-1565) as Bibliographer and Encyclopedist", The Library, 5th ser. 21, 4 (December 1966). pp. 269-81; Hans H. Wellisch, "Conrad Gesner: A Bio-Bibliography", *Journal of the Society for the Bibliography of Natural History* (1975), pp. 151-247, 2nd edn revised pubished under the same title (IDC, Zug, 1984); Luigi Balsamo, "Il canone bibliografico di Konrad Gesner e il concetto di biblioteca pubblica nel Cinquecento", in *Studi di biblioteconomia e storia del libro in onore di Francesco Barberi* (Associazione italiana biblioteche, Rome. 1976), 77-96; Josef Hejnic and Václav Bok, *Cesnereuropäische Bibliographic und ihre*

多尼(Anton Francesco Doni)在1550年，由威尼斯的法拉利(Gabriele Giolito de'Ferrari)印刷出版的《目錄總集》(*Libraria*)，則爲目錄類書籍開闢了新的模式。多尼利用冗長的副標題告知讀者，「此書包括所有以義大利文寫作的作者的著作，一百篇從其他語言翻譯成義大利文的文章，以及一份書商通常都會提供的目錄表。」相較於之前的目錄書，此書採用了三個嶄新的呈現方式[20]。首先，在語言方面，此書是以義大利文寫成，並只回顧義大利文著作的作者和譯者。其次，這本書的意圖也與以往不同。它並未包含所有作者的目錄，也沒有收集評論的部分，主要只是爲了提供義大利文書目資訊：「我編寫這本《目錄總集》，並沒有要評判書籍好壞的意思，主要只是爲了提供所有以義大利文印刷書籍的資訊。如此一來，喜愛閱讀義大利文書籍的讀者，就可以知道哪些著作已經出版。」第三個創新之處在於這本書的開數。多尼並沒有採用大的開數(如崔桑和巴爾是四開，傑斯內則是對開)，而是以更方便翻閱的十二開印刷。這本理想的目錄書(另一座沒有牆的圖書館)，因此可以輕易地包含許多的書目，爲讀者省去了流連徘徊於書舖的麻煩。

(續)———

Beziehung zum Späthumanismus in Böhmen und Mähren (Academia Nakladetelství Cekoslovenské, Akademie Ved, Prague, 1988); Alfredo Serrai, *Conrad Gesner,* ed. Maria Cochetti, with a bibliography of Gesner's works by Marco Menato (Bulzoni, Rome, 1990).

20 關於此書的再版，見Anton Francesco Doni, *La libraria*, ed. Vanni Bramanti (Longanesi, Milan, 1972). See also Cecilia Ricottini Marsili-Libelli, *Anton Francesco Doni, scrittore e stampatore* (Sansoni Antiquariato, Florence, 1960); Amedeo Quondam, "La letteratura in tipografia". in *Letteratura italiana,* ed. Alberto Asor Rosa, 8 vols (Giulio Einaudi, Turin, 1983), vol. 2, *Produzione e consume,* pp. 555-686, esp. 620-36.

多尼這本體型輕巧的目錄書共有144頁。其中記錄了159位作者，以其名字字首的字母順序編排(從Acarisio da Cento到Vincenzo Rinchiera)。在這本書中，多尼利用他賴以組織分類目錄的14個字母玩文字遊戲。也就是說，列在一個項目當中作者名字(given name)的字首，也同時是在該項目前頭的序當中，提到的呈獻對象名字的字首，同時又是該序第一個字的字首(例如，如果是A字母爲開頭的段落，那麼就是“Abate, Abati. Assai son l’opere”)。在所有曾經出版過義大利文作品的作者目錄之後，多尼又提供另外三份目錄：一份是根據義大利文類的類型(人文學／對話／喜劇／韻文／信簡／小說／故事)，另一份是由拉丁文譯爲義大利文著作的目錄(依據另一種系統編排爲「神學／歷史／信簡／悲喜劇／醫學」)，第三份是「所有義大利文書籍總目錄表」，形式就像書商的目錄，但沒有特定版本的出版資訊。

在《目錄總集》問世之後一年，多尼又出版了《目錄總集第二冊》(*La Seconda Libraria*)，記錄尚未印刷出版的著作目錄。此書的體例和前一本書一樣，目錄按字母順序，從Acarisio da Cento排到Zanobi Fiorentino，也同樣有作者名字的字首，和該項目前頭的序言或格言第一個字的字首，相互對應的文字遊戲。然而，如同康丹(Amedeo Quondam)所注意到的，這本記錄手抄形式著作的《目錄總集第二冊》中，所宣稱「作者(多尼)曾親眼見過這些尚未印刷出版之著作的手抄文稿」，其實大部分是杜撰而成，列出虛構的作者與想像的文本。相對於《目錄總集》所記錄的是已印刷出版的著作，這本續集就像是一個「矛盾與諷刺的分身」[21]。1557年，多尼

21 Quondam, “La letteratura in tipografia”, pp. 628-9.

將他的兩本目錄書合在一起出版八開版，同樣交由威尼斯的法拉利印刷。在此合訂本中，多尼又加入另外一篇論文。這篇論文是從最早見於1551年的〈論學院之建立：兼論其名稱、訓言、徽章與其全部成員之著作〉擴大發展而來。1557年合訂本的內封面，將此書定義爲「一本對想要了解義大利文，以及希望學會怎麼寫作，並探討所有的作者、書籍和作品的人來說，不可或缺的實用書籍。」多尼的合訂本於是形成了一本複雜的書，其在書目編纂(書目學)上的定義(它不只是第一本義大利全國的目錄，更是第一本義大利文目錄)[22]，只是該書諸多意義之一。例如它還宣揚了義大利文的優越與尊嚴、建立了當時作者的參考資訊，並以一種嘲諷的風格拆穿文學虛構的秘密。

多尼的著作也在法國流傳，並直接啓發了在前面第二章中，談過的兩本法國目錄書。其中一本出版於1584年，作者是拉克瓦杜曼；另一本出版於1585年，作者是杜維迪[23]。這兩本書在宣揚法文相較於義大利文的優越性上面，可說是有志一同。兩書的作者都認爲，不論是就以法文寫作的作者數目、法文作爲文學語言較爲久遠的歷史，還是法文表達的學識程度而言，義大利文都略遜一籌。這種意圖在《拉克瓦杜曼爵爺目錄總集第一冊》(巴黎，隆傑里耶〔Abel L’Angelier〕，1584)中表現得十分明顯。首先，作者直接在副標題上宣稱：「這是一本包含從五百多年前直至今日，所有以

---

22 Besterman, The *Beginnings of Systematic Bibliography*, p. 23.

23 有關杜維迪和杜曼的著作，我是引自巴黎法國國家圖書館所藏的影印本。關於此二人目錄書的討論，見 Claude Longeon, “Antoine Du Verdier et Francois de La Croix du Maine”, *Actes du Colloque Renaissance-Classicisme du Maine*, Le Mans, May 1971 (A.-G. Nizet, Paris, 1975), pp. 213-33.

法文寫作作者的全面性目錄。」拉克瓦杜曼不只在書名中強調法文歷史的悠久(「五百多年的歷史」)，而且還將他的目錄書中記載的「三千位作者」(實際上是2031位)，與多尼的《目錄總集》當中記錄的三百位作者(實際上是159位)作比較，以凸顯法蘭西王國的強勢。他說道：「所有曾經讀過佛羅倫斯的多尼，那本他自己稱爲《目錄總集》的書，也就是在四年前的1580年(解放之年)印刷的那本古今義大利文著作目錄的人，都能夠證明我的看法。」(只不過，拉克瓦杜曼在這裡把多尼著作的第一版誤植爲三十年後的再版。)

而在《沃普利瓦爵爺安托涅・杜維迪目錄總集：包含所有以法文寫作或翻譯的著作，以及以這個王國其他方言寫作的作者目錄》*(La Bibliothèque d'Antoine du Verdier, seigneur de Vauprivas: Contenant le Catalogue de tous ceux qui ont escrit, ou traduit in François, et autres Dialectes de ce Royaume)*(里昂，歐諾哈〔Barthélémy Honorat〕，1585)當中，對法文優越性的強調，並沒有明顯地以義大利文作爲較勁的對象：「總而言之，傑出的作者與卓越的著作已經如此眾多，我們似乎再也沒有必要從其他人那裡借取知識，因爲我們已經身處其中。這些知識似乎以更好的形式呈現，至少更合我們的胃口，且更容易學習。」事實上，杜維迪這本書的範本並不是多尼，而是傑斯內的著作：「在我們的時代，傑斯內收集了分別以希伯來文、希臘文，和拉丁文三種語文寫作的所有作者，目的是爲了自己的榮耀，也是爲了公眾的福祉。」「我將這本書命名爲Bibliothèque，因爲傑斯內也如此命名他的著作。」憑藉著豐富的古代知識和出色的模範，杜維迪得以完成這本目錄書，並藉以證明現代的優越：「我寫這本書的目的，是爲了以我們的語文寫作的法國同胞，也是爲了向世界宣告我們的國家是如何的人才濟濟。」和拉克瓦杜曼不同，杜維迪並不覺得有必要強調法文的悠久歷史，他只檢視「過去六、七十年」的現代作者。他覺得光是這批作者就足以彰顯法國文學的質精量多，因此不必再提古時的作家。況且他認爲，過去「我國作家的寫作實在有些冗長」。

在多尼和拉克瓦杜曼的目錄書之間，有幾個明顯的相似之處：它們都記錄寫作或翻譯成方言的書籍(包括印刷書與手抄書)；都有收錄部分作者的小傳(拉克瓦杜曼在副標題中就已指出：「在本書三千位作者中最爲傑出和知名者，將附帶收錄其生平傳記及作品簡介，不論是否爲印刷書」)；都以嚴謹的字母順序來排列作者的名字(拉克瓦杜曼是從Abel Foulon排到Yves Le Fortier)。在《目錄總集第一冊》呈獻給國王(亨利三世)的獻詞中，拉克瓦杜曼覺得，有必要爲自己這種忽視社會地位差異的安排作辯護：

> 還有一點要請您注意，國王陛下。請您不要因爲我(有些魯莽地)將某些人名依照字母順序排列而感到不悅。雖然您可能會認爲我的做法是錯的，但您會發現在這個例子上，它其實是可以接受的。例如，您可能會認爲我碰巧將國王陛下，如富蘭梭瓦一世、查理四世和亨利三世排在他們臣民的後面，或是將孩子或學生排在父母或老師的前面，乃是一種錯誤。實際上我確實也覺得按照字母順序排列並不十分恰當，但我覺得爲了避免爭議，保持公平起見，我必須這樣做。

然而，在多尼與拉克瓦杜曼的著作之間，有著根本上的差別。這種差異來自於兩人對於沒有牆的圖書館認知不同。首先，兩本書在形體與形式上並不相同：多尼的目錄書是以方便翻閱的小開數印刷，而拉克瓦杜曼的著作則是令人難以親近的對開本，也就是佩特魯齊所說的libro da banco，而不是「口袋本」(libro da bisaccia)或「小手冊」(libretto da mano)[24]。拉克瓦杜曼的著作所涉及的領域，其實無關乎書籍生意和商業出版，而是屬於書籍的研讀與編纂。在一本小書《拉克瓦杜曼爵爺於一五八三年五月獻給虔誠的法國與波蘭之王亨利三世的構想或計畫》(*Desseins, ou Projects du Sieur de la Croix du Maine, presentez au Trèschrestien Roy de France et de Pologne Henri III du nom, l'an 1583, au mois de May*)中，拉克瓦杜曼宣稱在他的藏書中，有「八百本回憶錄以及各式各樣的文集，其中有些出自我的手筆，全都是我的創獲或我自己的探索，以及所有我迄今讀過的書籍的摘要。它們不可勝數，由多達兩萬五千至三萬本，從各種可說窮盡人類知識的學科當中，做出的筆記和摘錄(chapters)，可以窺其大概。」如果說多尼的《目錄總集》是建立在文學創新的實踐之上，拉克瓦杜曼的目錄書就是基於類抄(commonplace book)的經院哲學傳統。拉克瓦杜曼是一位沒有原創性，但卻著述繁多的文人，據稱他撰寫了數百部作品，收錄在他1579年的《拉克瓦杜曼爵爺針對絕大部分出自於自己拉丁文和法文著作中人名、標題和題詞文的概要論述》(*Discours du Sieur de La*

---

24 Armando Petrucci, "Alle origini del libro moderno: Libri da banco, libro da bisaccia, libretti da mano", in *Libri, scrittura e pubblico nel Rinascimento: Guida storica e critica,* ed. Armando Petrucci (Laterza. Rome and Bari, 1979), pp. 137-56.

Croix du Maine contenant sommairement les Noms, Tiltres et Inscriptions de la plus grande partie de ses Oeuvres Latines et Françoises)一書中。拉克瓦杜曼仔細計算過他的編寫活動。他聲稱每日寫作三個小時，若以每小時可以寫完一張超過一百行的紙來計算，他每年的產量約是一千頁。沒有一部他以這種方式寫作的作品曾經出版(除了《目錄總集第一冊》之外)，也就是說很難衡量他辛勤努力的成果究竟如何。然而，他的著作在智識組織上，依照經院傳統的類抄筆記，從眾多著作中擷取摘要而成，則是相當明確。因此，拉克瓦杜曼賦予在此雜亂無章的材料中，理出頭緒的工具相當的重要性，此即「三百份我用以澄清意圖的類抄目錄。……這些目錄乃是解讀我著述的關鍵。」

拉克瓦杜曼的著作和多尼還有一個不同之處，那就是他的《目錄總集第一冊》乃是「獻給國王」，其雕版畫像以接受奉獻之姿呈現在書頁之上。不論是1583年的《拉克瓦杜曼爵爺的構想或計畫》，還是後一年出版的《目錄總集第一冊》，拉克瓦杜曼的目標都是尋求國王的庇護，也就是伴隨恩賜和職位而來的金錢利益。他在1583年上呈的建議符合王權贊助的邏輯。他的計畫是建議國王：

> 建立一座在各方面都盡善盡美的圖書館，能讓國王陛下首肯，提供足以放滿一百架書櫃的書籍、回憶錄或文集。這些書櫃的形狀或樣式如下：每櫃能裝一百冊，全部共有一萬冊，分為書籍、摘錄、筆記，和類抄，然後以字母順序編排，以利查詢時方便識別和取得。

這段「圖書館建立之計畫」，比諾德的《建言》還要早上半個世紀。其原創性在於，拉克瓦杜曼希望將存在於他的類抄筆記(loci communes)*當中，不具實體的普世圖書館，具現在眞實的圖書館中。他將圖書館一百架書櫃其中之一的造型，描繪在書中的一頁上。拉克瓦杜曼的興趣，其實不在極盡所能地積累書籍，而只是想要收集對應一百架書櫃的一百個(實際上是108個)類別的書籍(包括印刷書和手抄書形式的回憶錄和文集)：「對每個類別收錄之書籍精挑細選並仔細排列，俾使該類別的收藏臻於完備，不再有增減的需要。」憑藉經驗與學識，杜曼宣稱他可以在8-15天內，找齊可以裝滿100架(或108架)書櫃中任何一個書櫃的必備之書。

因此，只有在經院哲學的類抄實踐之上，才能完全理解拉克瓦杜曼提出的原創性分類體系[25]。其中將著作分爲七個「種類」(orders)，分別是「神聖的事物」、「技藝與科學」、「對普遍或特定世界的描述」、「人類」、「戰爭英雄」、「神的著作」，以及「各種回憶錄的雜錄」，其下再分爲108個「類別」(classes)。不像傑斯內在他的《羅馬法及其各類別或通用之論著中二十一本著

---

* 〔中譯註〕locus communis即commonplace book(類抄)的拉丁原文，指一種經院哲學以筆記編纂知識的閱讀方式。杜曼的圖書館建立計畫，其實就是一種類抄的實踐。

25 關於將知識分門別類的歷史，見E. I. Samurin, *Geschichte der bibliothekarisch-bibliographischen Klassifikation,* 初版於蘇聯（Moscow, 1955）(VEB Bibliographisches Institut, Leipzig, 1964), on La Croix du Maine, Band I, pp. 106-109（also available, 2 vols in 1, Verlag Dokumentation, Munich, 1977). 另見Henri-Jean Martin, “Classements et conjonctures”, in *Histoire de l’ édition francaise,* ed. Martin and Chartier, vol. 1, *Le livre conquérant: Du Moyen Age au milieu du XVIIe siècle,* pp. 429-41, reprint edn（Fayard/Cercle de la Librairie, Paris, 1989), pp. 529-62.

作》(*Pandectarum sive partitionum, universalium-libri XXI*)(蘇黎世，1548)當中，所使用的21個範疇；拉克瓦杜曼的分類體系，並不是要建立像傑斯內那樣，由連續分支所形成的知識樹。在傑斯內的著作中，構成「哲學」(philosophia)的「技藝與科學」(artes et scientia)又分成「實存型」(substantiales；再細分爲物理或自然哲學、形上學與異教神學、倫理學或道德哲學、經濟、政治、法律、醫學、基督教神學)與「備用型」(praeparantes)。其中後者又可分爲「增添光彩的」(ornantes；歷史、地理、占卜與魔術、文學藝術、機械)與「必要的」(necessariae)。後者又可再分爲「數學」(mathematicae；算數、幾何、音樂、天文與占星術)和「論述」(sermocinales；文法和語意、方言、修辭和詩)。傑斯內此「羅馬法各個著作之目錄表」(Tabula de singulis pandectarum libris)，乃是依據哲學系統的分類秩序編列各種書目類別，將知識發展的軌徑視爲從三文(trivium)、四藝(quadrivium)到基督教神學。上述傑斯內所區分的各個範疇，在杜曼的分類體系中一個也沒出現。不像傑斯內，拉克瓦杜曼並沒有一個總括的系統，而只是單純視收集到的摘要和筆記，將看似合適的標題並置排列在一起。例如，第四個「種類」所包括書櫃的類別有「人類及其附屬品」、「人類的疾病與治療」、「女性傑出者與其他婦女」、「上流社會的處世智慧或男士們的行爲準則」、「貴族與紳士們的各種運動」、「各種心智和身體的訓練」、「人們在海洋和陸地上的各種交易和買賣」、「世界各地各種生活的習俗和風尚」、「從事得體活動之人」、「長袍官員或法官」。

理所當然，由國王建立，「盡善盡美」的圖書館，必須値得人們觀摩與仿效，「讓粗鄙不文者變得博學多聞，使心悅臣服於君王的子民移風易俗。」同樣地，只有國王的批准，才能授權《目錄總集第一冊》在1584年出版，其後同類型的著作也都是如此。拉克瓦杜曼在該書的題獻詞結尾處的簽名FRANÇOIS DE LA CROIX DV MAINE，按照字迷遊戲(anagram)的規則，將字母重新排列之後，便成爲RACE DV MANS, SI FIDEL' A SON ROY，即「效忠國王」之意。此外，拉克瓦杜曼還爲他與王權之間的聯繫提供了更爲具體的版本：「假如陛下您還想知道，我爲了宣揚您聲威遠播，又物阜民豐的王國所撰寫的其他著作；如果您願意恩准的話，我已經準備好爲您朗誦一篇我在五年前印刷出版的演講稿，其中提到我著作的總目錄。」不像多尼的《目錄總集》有許多呈獻的對象(每個字母開頭都有一個)，訴求較爲廣泛的讀者。拉克瓦杜曼的作品則是限定在與特定庇護者的關係之上。藉由出聲朗讀，尋求庇護的作者和國王之間，建立了一種排他性的親近關係。

多尼和拉克瓦杜曼的著作之間的最後一個差異，是多尼的著作與出版活動之間有相當強固的關係：「其形成與16世紀中葉，最具文化影響力的兩家出版商有直接的關係，很可能也受其財力支持。」這兩家出版商分別是威尼斯的法拉利，也就是《目錄總集》第一版與完整版的出版商，以及馬可里尼(Francesco Marcolini)，《目錄總集第二冊》的出版商[26]。而拉克瓦杜曼的著作，則是源自從他大學時代開始的私人圖書館建構。他在1582年搬到巴黎時，運送的正是這些他收藏的印刷書與回憶錄手抄書：

在十三、四年來的寫作、收藏，和四處尋訪回憶錄之

26 Quondam, "La letteratura in tipografia", p. 623.

> 後，我發現已經略有小成(多達七、八百冊)，於是我決定要定居巴黎。我用三輛馬車把書冊和回憶錄都運到那兒，其中有一部分是出自我的手筆。我在1582年5月的最後一天到達巴黎。

拉克瓦杜曼藉由收集和寫作堆砌而成的圖書館，爲他的著書事業奠定了基礎。首先，這就像是他向國王提出的，一百架書櫃圖書館計畫的藍圖(這讓他得以宣稱「這個計畫最困難的部分已經實現」)。其次，他的圖書館構成了他想像中，所有理想圖書館的原型。1584年出版的《目錄總集第一冊》只不過是他更爲遠大的抱負，也就是《法蘭西目錄大全》——甚至加上其姊妹作《拉丁文著作目錄》(*Bibliothèque Latine*)——的一個稍具規模的雛形。在這兩本從未出版的目錄書中，除了作者姓名之外，還提供了關於版本、呈獻對象，以及作品的資訊：

> 我並不滿足於只在我編的法文和拉丁文目錄書中，收錄每個作者的著作目錄。在這之外，我還要收錄它們的印刷者、它們的尺寸和開數、出版年份、總頁數，以及它們所呈獻的對象，並列出全副的頭銜。除此之外，我在個別著作的開頭或第一行中，加入了該作者的生存年代。

拉克瓦杜曼也模仿傑斯內，在他的著作當中添加了幾冊《拉丁文和法文羅馬法彙編》(*Pandectes Latines et Françoises*)：「這是一份相當廣褒的目錄，涵蓋每一門技藝、學科或研究行業的所有作者，我依據稱爲人文學的七門學科*來分類它們」，以及數冊他稱爲「摘要」(mentionnaire)的筆記本：「這就像是一本類抄集，或一份曾經論及特定事物的作者的總集。」拉克瓦杜曼號稱曾經精讀過「上萬名作者」的作品，指出他在「摘要」(同樣未曾出版)當中，可以「摘錄前述作者著作的段落、註明這些段落在我讀過的哪本書的哪一章，或哪一篇文章的哪一面，甚至哪一頁，以及那本書的空白大小和印刷，我都瞭若指掌。」

在拉克瓦杜曼的著作中，有三種分類的標準同時並存。第一種以作者爲分類著作的標準，也就是「作者功用」。傅柯對此的定義，在本書中已有扼要的闡述[27]。不論在唯一出版的《目錄總集第一冊》還是在《法蘭西目錄大全》中，拉克瓦杜曼都以作者作爲區分論述的基本標準，依據其名字的字母順序來排列作品。由於他宣稱會提供作者的小傳(根據拉克瓦杜曼的說法，是模仿蘇埃托尼烏斯〔Suetonius〕、普盧塔克〔Plutarch〕和保羅・喬未歐〔Paolo Giovio〕**的作品寫成)，因此他也就將文人作者等同於戰功彪炳的軍事將領，以及建立偉業的公侯君王。

然而，上述以作者爲標準的分類架構，並未忽視庇護體系的權勢。從拉克瓦杜曼在未出版的《法蘭西目錄大全》中，對收錄的著作所做的保證，便可看得十分清楚：「**最重要的是**(粗黑體爲作者

---

* 〔中譯註〕也就是三文四藝。

27 Michel Foucault, "Qu'est-ce qu'un auteur? " *Bulletin de la Société francaise de Philosophic,* 44 (July-September 1969), pp. 73-104, reprinted in *Littoral,* 9 (1983), pp. 3-32, 英譯見 "What Is an Author? " in *Textual Strategies:Perspectives in Post-Structural Criticism,* ed. Josué V. Harari (Cornell University Press, Ithaca, N. Y., 1979), pp.141-60.

** 〔中譯註〕保羅・喬未歐(1483-1552)，義大利歷史作家。

所加)呈獻對象的姓名，絕不可漏載他們任何一個頭銜。」因此，一項著作既屬於它的呈獻對象，又屬於它的作者。這便是第二種分類標準。不論是在理想的圖書館，還是在書籍的內封面上，作者與庇護者之名的並列*，便是此事的明證。

此外，拉克瓦杜曼在建請國王設立圖書館的《拉克瓦杜曼爵爺的構想或計畫》中，還存在第三種分類標準，並不將作品歸於個人，而是將之歸入各個知識種類或類別當中。在拉克瓦杜曼的不同著作中，存在不一致分類標準的現象，正好反映出基於經院類抄傳統的分類標準，與以作者姓名為原則之分類標準間的衝突。同樣的衝突，也可見於傑斯內的兩部大作，也就是1545年的《通用目錄總集》和其續集《羅馬法及其各類別或通用之論著中二十一本著作》，分類標準的歧異當中。其中前者是以作者姓名分類，後者則是以經院類抄的分類為準，囊括「所有哲學和一切正當學科與研究領域，包含類抄以及通用與特殊的範疇」。同樣的衝突也反映在拉克瓦杜曼對編寫目錄書的執著上，雖然他的《法蘭西目錄大全》從未出版。

和拉克瓦杜曼的《目錄總集第一冊》幾乎同時出版的《沃普利瓦爵爺安托涅·杜維迪目錄總集》(前者是在1584年的5月，後者是在1585年出版，但印刷完成日期是1584年12月15日)，則造成了另一個問題。由於拉克瓦杜曼知道杜維迪同性質的著作出版在即，因

*　〔中譯註〕理想的圖書館，指的是諾德的名字在他的《建立一座圖書館的建言》中，與其呈獻對象麥斯莫並列。而內封面，則是指在《拉克瓦杜曼爵爺目錄總集第一冊》的內封面中，拉克瓦杜曼與亨利三世的並陳。另外，像《唐吉訶德》內封面中作者與庇護者貝嘉爾公爵的並列，也是一個佐證。

此主動在他的書中採取一些預防措施，以免可能遭到抄襲的指控。這從《目錄總集第一冊》當中記載「安托涅・杜維迪」的項目中便可嗅出端倪：「我確定他即將出版一本他自己的法文目錄總集，但我對此並不感到欽羨。」他更進一步表明，自己原先根本不知道有杜維迪這本書的存在。拉克瓦杜曼表示，他著作的構思和提筆早在15年前便已開始，並強調他所居住的巴黎，和杜維迪自1580年起，因財務總監職務而前往上任的里昂，兩地相隔甚遠(超過一百里格*)。爲了撇清和杜維迪的關係，拉克瓦杜曼特別聲明他對剽竊的鄙夷：「我承認我已提筆寫就一本書，以對抗下列人等：冒名頂替他人著作的抄襲者，以及那些把別人辛苦寫作的成果掛在自己名下的人。像這種作品我稱之爲：『懲罰，或剽竊者的災難』。」他還更進一步，以豐富的藏書和學識來提升自己著作的權威：「關於我在書中提到的著作，都是我親眼所見，親自閱讀，且大部分都是我自己的個人藏書，而非借自他人。我可以很篤定地說，我從來沒有虧欠任何書商的金錢或占他們的便宜，事實上，自我雅好文學的15、6年以來，可是花了超過一萬里弗來收集這些書籍。」就如同在當時的遊記當中，auto-psie(我曾親見)，也就是親眼所見，乃是事實獨一無二的保證，親自閱讀也賦予著作一種眼見爲憑的權威。然而，這種憑藉實際經驗的眞確性保證，在像拉克瓦杜曼這樣把自己在無數的筆記當中，編纂的節錄和摘要當作學問本身的作者身上，並不是沒有弔詭之處。

和拉克瓦杜曼這位移居巴黎的普通地方鄉紳相比，杜維迪的社會地位要來得重要得多。他先是佛雷茲徵稅區(élection of Forez)的

---

* 〔中譯註〕里格(league)，距離單位，通常約3英里。

財政官員，後來又成爲里昂財政總監[28]。杜維迪面對拉克瓦杜曼挑戰的回應，可以分成兩個面向：他先諷刺杜曼的博學華而不實，接著質疑許多他言之鑿鑿的作品存在的眞實性：

> 某人(我不會公開他的姓名)寄給我一大本筆記，據説是他還不到二十歲時所寫作書籍的目錄(拉克瓦杜曼1579年印刷的自己著作的目錄)，數量超過500冊，其中不乏令人目眩神馳，夢寐以求的標題，光是書單就超過100頁。這實在是荒誕不經，令人難以置信這樣的東西有存在的可能性。

接下來，當杜維迪看過拉克瓦杜曼的著作之後(他在自己的《杜維迪目錄總集》中，將之列在巴黎印刷的「富蘭索瓦・德・拉克瓦杜曼」項目之下)，他質疑杜曼所提供資訊的確實性，因爲拉克瓦杜曼列出虛構或根本沒有著作的作者，在其書中收錄了「幾位根本不是作者的作者，或倘若他們眞是作者的話，也未曾有過任何作品，這一點杜曼自己也承認。」

《杜維迪目錄總集》和拉克瓦杜曼的著作相比，雖然在開數(厚重的對開本)和形式(以名字字母順序排列)上頗爲相似。但實際上，它們乃是依照不同的法則建構。杜維迪的想像圖書館，並不是直接依附在作者著作的集成之上，而是一個與任何特定物質形態分

28 Claude Longeon, “Antone du Verdier（11 Novembre 1544-25 Septembre 1600）”, in Longeon, *Les écrivains foréziens du XVIe Siècle: Répertoire bio-bibliographique*（Centre d’ Etudes Foréziennes, Saint Etienne, 1970), pp.288-316.

離的概念體。杜維迪的目錄書確實是一座「圖書館」，而且是一座無所不包的圖書館：「如同在圖書館中，各式各樣的書籍都組織起來，安放在適當的位置，彷彿它們本來就應該在那兒一樣；在這本書中的各種作者和書籍，都必須按照秩序編排，讓人一眼就可以找到它們的位置，並能夠記住它們。」這份鉅細靡遺的目錄，要讓每位讀者都能尋得所需，並利用這些資訊，建立一座由眞實書籍構成的圖書館。

爲了要使這個任務順利執行，杜維迪提供了在拉克瓦杜曼的《目錄總集第一冊》中所缺少的出版資訊。如其子標題所言，杜維迪的目錄書承諾提供「地點、形式、作者姓名和日期，以及在何地，如何，又由何人(將書中所列出的著作)公諸於世(也就是付諸印刷)」。如此一來，在必定沒有實體的「法文書籍總圖書館」計畫，與讓所有想要建構藏書的人，都可以使用的目錄工具的編寫之間，便全無牴觸之處。這種無所不包的企圖心，促使杜維迪在書中也收錄了以法文寫作的路德派和喀爾文派作者。他這樣做有另一個用意，就是要確保「天主教徒能辨認那些受到譴責和查禁的書籍，以避開它們」。不論杜維迪個人的宗教情感爲何，《杜維迪目錄總集》因此就明顯具有和巴黎神學院出版的禁書目錄相同的功能。後者在1544年首次出版，同樣以作者的字母順序(不過是用姓，而不是用名字)作爲分類著作的主要標準[29]。

---

29 J. M. De Bujanda, Francis M. Higman, James k. Farge, *L'Index de l'Université de Paris, 1544, 1545, 1547, 1551, 1556* (Editions de l'Université de Sherbrooke, Sherbrooke; Librairie Droz, Geneva, 1985). 關於名字和姓氏的應用，見Anne Lefebvre-Teillard, *Le Nom: Droit et histoire* (Presses Universitaires de France, Paris, 1990).

賦予用以指稱圖書館之用詞的各種意義，因此清楚地表現出現代早期文人內在的衝突，並引發他們之間的爭執。普世圖書館(或至少是完整蒐羅某類知識的圖書館)只存在於想像之中，其理想簡化爲目錄、分類表或一份檢索清單。相反地，任何矗立在特定地點，由可以查詢和閱讀的眞實書籍所構成的圖書館，不論其收藏多麼豐富，對所有知識的集成來說，也只能是冰山一角。在理想上鉅細靡遺的目錄，和必然殘缺不全的收藏之間，存在著一道令人扼腕的鴻溝。這激發了思想上，甚至實際上，所費不貲的冒險事業，竭盡所能地收集所有可能存在的書籍、所有可查獲到的標題，和所有曾經寫就的著作。「當談到圖書館囊括了所有的書籍時，人們的第一個反應總是，此乃不敢奢求的幸福。」

結　論

當20世紀逐漸消逝，我們的夢想，應該能夠克服長期縈繞在歐洲人與書籍間關係上的矛盾。未來的圖書館必然在某種程度上，是一座沒有牆的圖書館。就如同傑斯內、多尼和拉克瓦杜曼，建立在書頁之上的圖書館一般。然而，與他們提供作者姓名、著作標題，和有時也附帶著作摘要的目錄書不同，在未來的圖書館當中，所有的文本都能夠集中調閱，透過螢幕來閱讀。在一個由電腦化的文本和電子傳輸所形成的遠距離通訊世界中，文本不再被禁錮在它們原本依附的物質之上。由於脫離我們習慣上賴以尋得它們的物品，文本得以以一種新的形式傳送；在保存它們的地方和閱讀它們的地點之間，不再有著必然的關聯。長期存在於有限收藏的封閉世界，和古往今來所有著作的無限世界，之間不可克服的對立，在理論上因此便已不再存在：理想上鉅細靡遺列出一切著作所有目錄的目錄，在讀者所在的位置就可查詢調閱的世界文本共享體系當中，已然實現。

這種對未來的投射，在此以現在式寫成，某種程度上保留了梅希耶和布雷所提出，但基本上相互矛盾的烏托邦。或許我們仍然來得及反省，這種承諾和宣稱所造成改變的影響。假如文本從自西元1世紀的基督時代以來，就一直承載它們的翻頁書形式當中解放出來，那麼由於這種由書頁構成的書籍，形塑了我們所熟悉的印刷品形式，因此所有的智識技術和運作中的意義生產機制，都連帶必須有所修改。麥肯錫「形式產生意義」之論言猶在耳[1]。我們必須謹記他的諄諄告誡，小心不要落入將文本簡化爲符號的謬誤幻覺當中。在從翻頁書到電腦螢幕的過程當中，「相同的」文本不再眞的如假包換，因爲提供給讀者的新形式機制，改變了其接納與理解的條件。

當文本經由新的技術傳送，並化爲新的物質形式；讀者對之的掌握，就不再受到像印刷書那樣，只能在空白之處書寫的限制[2]。翻頁書的終結，同時也意味著，和我們現在熟知的書籍密切相關的行爲和表現都將消逝。歐洲早在基督教早期便已出現的書籍形式，業已成爲用以構思宇宙、自然、歷史和人體，最爲重要的隱喻之一[3]。倘若這種提供詩、哲學和科學以脈絡和參照的形象消逝，那麼組織現實世界的「可讀性」，也就是翻頁書籍的脈絡和程序，也將隨之遭到顚覆。

---

1 D. F. McKenzie, *Bibliography and the Sociology of Texts,* The Panizzi Lectures 1985 (The British Library, London, 1986), p.4.

2 Roger E. Stoddard, *Marks in books, Illustrated and Explained*(The Houghton Library, Harvard University, Mass., 1985).將印刷書中的手寫筆記當作閱讀史研究材料的例子，見Cathy N. Davidson, *Revolution and the Word: The Rise of the Novel in America*(Oxford University Press, Oxford and New York, 1986), pp. 75-9；Lisa Jardine and Anthony Grafton, "'Studied for Action': How Gabriel Harvey Read His Livy", *Past and Present*, 129(November 1990), pp. 30-78.

3 關於西方哲學傳統中各種書籍隱喻定義的討論，見Hans Blumenberg, *Die Lesbarkeit der Welt*(Suhrkamp, Frankfurt, 1981, 2nd edn 1983).義大利文譯本見La leggibilità del mondo: Il libro come metafora della natura (Il Mulino Bologna, 1984).

文藝復興時代的目錄書編纂者，創造可供讀者在其中與普世知識共舞，將知識握在手中之場所的夢想，現在業已實現。但這不可避免會面對一種新的文本定義，遠離我們原本熟悉的翻頁書形式。就像在17、18個世紀之前，翻頁書的新形式取代了人們原本熟悉的捲軸一樣[4]。因此，歷史學家在本書中的沉思，引出了一個當下至關重要的問題，但不是書寫可能消逝的那個不需過度擔心的老問題，而是文本傳播和挪用的形式可能革新的問題。

4　關於由捲軸到翻頁書的演變此爭議性難題的討論，見Colin H. Roberts and T. C. Skeat, *The Birth of the Codex*（Published for the British Academy by the Oxford University Press, London and New York, 1983, 1987）; *Les début du codex*, ed. Alaon Blanchard, Actes de la Journée d'Etudes organisée à Paris par l'Institut de Papyrologie de la Sorbonne et l'Institut de recherché et d'histoire des texts, les 3 et 4 juillet 1985（Brepols, Turnhout, 1989）; 以及Guglielmo Cavallo提出的修正："Testo, Libro, Lettura", in *Lo spazio letterario di Roma antica*, ed. Guglielmo Cavallo, Paolo Fedeli, and Andrea Giardina, 5 vols（Salerno Editrice, Rome 1989）, vol. 2, *La circolazionne del testo*, pp. 307-41; Cavallo, "Libro e cultura scritta", in *Storia di Roma*, ed. Arnaldo Momigliano and Aldo Schiavone, 4 vols（Einaudi, Turin, 1988-）, vol. 4, *Caratteri e morfologie*, pp. 693-734.

後記：《書籍的秩序》再思考*

我必須坦承，自從《書籍的秩序》的法文和英譯版，分別於1992年和1994年問世之後，我就從來沒有再讀過這本書。倘若本刊未曾向我邀稿，恐怕我也不會重拾此作。這本書討論的焦點，放在14-18世紀之間，書寫文字如何分門別類、編目歸檔，以及所有牽涉其中的人員和機構，包括作者、出版商、印刷商、印刷工坊，和圖書館，對文字及印刷品的領會和感受之上。在此，我想先談談我學術生涯中引領我完成此書的要素，再重新檢討這本1992年舊作中表達的論點，並藉以做新的補充。

學思歷程

我學術生涯最早的幾本著作完成於1980年代末期。這些寫作經驗讓我體會到，作爲歷史學家，必須持續不斷地檢視方法論與自身研究的關聯。我早期的著作，受到當時主導心態史研究的年鑑學派典範根深柢固的影響，以量化證據研究文化史。回想起來，有兩個

* 本文譯自Roger Chartier, “*The order of books* revisited,” in *Modern Intellectual History*, 4, 3 (2007), pp. 509-519.

原因促使我與當時年鑑的方法分道揚鑣。第一個原因，是當我仔細閱讀17、18世紀在街頭叫賣，由城鎮流傳到鄉村，各式各樣有時也統稱爲《藍皮文庫》的庶民讀物之後，發現我早先研究設定的一些先入爲主的概念，其實禁不起檢驗。這些流傳久遠、佚名、具有共同特徵的「粗鄙」讀物，不能只用「庶民文學」這個抽象概念草草概括，而必須要用細緻的書目學和文本分析方法，恢復其歷史的原貌。於是我就把注意力放在這些迎合法國庶民讀者的文本上，並析論16世紀末在里昂、特洛瓦(Troyes)和盧昂(Rouen)等地的印刷商兼書商，如何在新(庶民)讀者群的「發明」上扮演重要的角色。

上述的研究經歷，使我有幸與法國書籍史的開山祖師馬爾坦(Henri-Jean Martin)共同編輯《法國出版史》(*Histoire de l'édition française*)這部鉅作，從1982-1986年爲止，一共出版了4冊。這部書首次結合了歷史學與圖書館學，同時兼顧書籍生產(包括手抄書與印刷書)的經濟史、書市從業人員(印刷商、書商、裝訂工、書店店員)的社會分析、刊物與文本本身的研究，以及當時開始受到重視的讀者與閱讀的面向。《法國出版史》創新的立論與宏觀的視野，不止促成法國在1989-1991年之間再版此書，更激起各國競相仿效，包括英格蘭、蘇格蘭、美國、加拿大、西班牙在內，都先後出版本國的書籍史。因此出現的全球書籍學者社群，更因而打破了過去各學門之間，長期以來壁壘分明的藩籬，使得要求精確技術知識的書目學、使用量化方法的書籍史研究，以及過去從不考慮文本之物質形式，對意義解讀會有所影響的詮釋學，能有交流對話的可能。

談到文本的物質形式，就不能不提麥肯錫令我受用不盡的著述。他最著名的貢獻是提出「文本的社會學」(the sociology of texts)，以最廣泛的意義定義文本，「將之視爲承載訊息的物質形式，關注其生產、流通與接納的過程。」我認爲麥肯錫指出，文本象徵意義的分析工作，不能脫離物質載體面向而達成的認知與取徑，事實上對長期以來存在於解釋和描述的科學，即詮釋學和形態學(morphology)之間的區別，提出了深刻的挑戰。

身爲歷史學家，我的研究取徑一度深受再現(representation)能靈活運用特性的影響。1976年春天的普林斯頓之旅，使我更了解再現的箇中奧妙。要言之，再現不是單純圖像呈現對錯的問題，而是內涵足以形塑感知，並能對社會造成深刻影響的實踐。對我來說，再現的方法論，構成了我在《法國大革命的文化起源》(*The Cultural Origins of the French Revolution*, 1990)一書中論點的核心。

由於任何對歷史事件的解釋，都不能不意識到傅柯的批判性思考，我的許多歷史研究也都是以傅柯的研究爲起點。所以我在《書籍的秩序》中，特別強調傅柯提出的三個主要概念。首先最重要的是「規訓」(discipline)的概念，也就是傅柯筆下的論述實踐。其次是置於啓蒙運動與大革命歷史關係脈絡之中的「事件」(event)概念。最後是「作者」的概念，即傅柯以「作者功用」(author function)稱之的思考工具，用以區別實際上撰寫文本的作者，與作爲區隔不同著作功能的作者。

印刷作爲改變抄寫文化的媒介

從今天看來，《書籍的秩序》這樣一本書所探討的主題，是否還有我在1992年未曾思及或僅些微觸及之處？我想，其中一個需要重新評估的重要議題，便是抄寫與印刷文化之間的關係。這個領域近年來研究成果豐碩，如勒夫(Harold Love)、馬洛提(Arthur Marotti)和伍惠森(H. R.Woudhuysen)探討印刷對英格蘭手抄書的影響、穆侯(François Moureau)和貝尼鐵(Miguel Bénitez)的18世紀法國禁書手抄本研究，以及布札(Fernando Bouza)探索西班牙手抄本的鉅作《抄寫的運作》(*Corre manuscrito, 2001*)，都是很好的例子。

雨果(Victor Hugo,1802-1885)在《鐘樓怪人》(*Notre-Dame de Paris*)中，對印刷造成的衝擊有深刻的描寫：

> 副主教凝視著教堂巨大的身影，沉默半晌，嘆了口氣；右手指著平躺攤開在桌上的印刷書，左手指向聖母院，眼神難掩悲傷地由書本望向教堂，嘆道：「唉！這會毀了那的。」

然而，過去十年來，已經有充足的證據顯示，「這」所指的印刷書實際上並沒有毀了「那」手抄本。許多文本，諸如詩集、政論小冊、誹謗黑函、貴族禮儀書、新聞紙、異端書籍、樂譜等，都是透過手抄本廣泛流傳。手抄本在印刷時代之所以依然盛行的原因，不只是因爲抄寫的成本比較低廉，還由於和印刷相比，手抄書比較容易逃過當局的檢查。我在最近新出版的《書寫與消逝》(*Inscription and Erasure*)中，討論到貝莒哈克(Cyrano de Bergerac, 1619-1655)的小說《月世界旅行記》(*Etats et Empires de la Lune*)，就是這種典型專爲逃避檢查而設計以手抄書出版的書籍，只在能讀出小說不爲當局認可的弦外之音的少數讀者之間流通。除此之外，手抄書還有比印刷書容易增補及修改的優點。顯然今日對書籍的秩序重新思考，必定得考量到在印刷時代依然蓬勃的手抄書生產現象。

此外，印刷事實上爲手寫文字提供了新的用途，也是值得探討之處。某些書商會在書中特意留白，讓顧客或使用者能對印刷文字進行補充。如卡普(Bernard Capp)的研究指出，許多英格蘭曆書中空白的插頁便是作此用途。其他印刷品，例如大量生產的官方表格，也是以手寫的便利性作爲考量。類抄筆記本(commonplace book)的印刷商，也會在筆記本中依主題印上各不相同的標題，方便使用者將閱讀各種書籍時製作的摘要筆記，分門別類地謄寫在各個標題之下。同樣的現象，在專爲大學教學印行的經典名著讀本中也可見到。這類讀本會在頁面的邊緣和行間留下大量空白，方便學生撰寫評著筆記。類似這種爲便利書寫，或保存手寫文字而設計的印刷品，其實不勝枚舉。例如法國南部一些教區使用的婚禮唱詩本；或是像布雷達(Ludovica Braida)研究的18世紀義大利記事本，是最早在印刷本上，將一天切分爲晨間、午後和晚間，以方便手寫填入待辦事項的行事曆。

除了關注賦予手寫文化規格秩序的印刷設計之外，近期的研究也重視讀者介入文本的問題。這樣的情形，不只見於早受矚目的印刷書頁邊註記和手寫註解的研究，還包括手抄本中手寫的刊誤訂正。進一步的研究，更觸及書籍的擁有者將印刷和手抄書拆裝的散頁雜裝成書，甚至夾以印刷與手寫筆記剪貼成的頁面的例子。

上述諸多的現象，都對艾森斯坦(Elizabeth Eisenstein)在《印刷作爲變革的媒介》(*The Printing Press as an Agent of Change*,

1979)[*]一書中，認定印刷與文本標準化至爲相關的主張提出挑戰。事實上，印刷文化本身在實踐上的證據，便足以在根本上挑戰艾森斯坦的主張。例如臨時校正(stop-press correction)的做法，便會使同一個版本中，有校正的頁面和未經校正頁面混雜在一起的可能性大大提高；此外，頁邊上的手寫註記除了提供閱讀的訊息之外，更足以坐實印刷書的歧異性(只要讀過金格瑞契〔Owen Gingerich〕[**]和安布萊爾〔Ann Blair〕分別對哥白尼的《天體運行論》〔*De Revolutionibus Orbium Coelestium*〕，以及布丹〔Jean Bodin〕的《論自然劇場》〔*De Natura Universalis Theatrum*〕所有現存版本的研究，便能指出這一點)；還有就是我前面提到過，將手寫和印刷頁面混雜裝訂成書的做法，其實都使印刷導致標準化的主張難以成立。知曉印刷書和手抄書實際上複雜多樣的面貌之後，便能超脫視印刷文字較手抄更爲持久穩定的傳統觀點的局限。雖然艾森斯坦印刷造成文本標準化的主張並不能因此全盤否定，但必須指出，這個論點有兩大嚴重缺陷：其一，在實際操作的面向上，印刷工坊往往無法生產出完全相同、正確無誤的版本；其二，如勒夫指出，有些手抄本在忠實複製原書上的努力和成果，比印刷更令人讚嘆。總而言之，太過簡單地假設印刷比手寫文字更爲恆久穩固，所需承擔的風險，是我在《書籍的秩序》一書中，著墨尚不足夠之處。

---

* 〔中譯註〕中譯本見艾森斯坦著、何道寬譯，《作爲變革動因的印刷機：早期近代歐洲的傳播與文化變革》(北京：北京大學，2010)。

** 〔中譯註〕中譯本見金格瑞契著、賴盈滿譯，《追蹤哥白尼：一部徹底改變歷史但沒人讀過的書》(臺北：遠流出版社，2007)。

作品、作者與文學

另一個我在今日談書籍的秩序時會提出的問題，是書籍作爲抽象的文本，與書籍作爲物品之間的關係。我們應該從這個角度思考古騰堡活字印刷術革命性的衝擊，而不是執著於和印刷術沒有必然關係的標準化概念。印刷書的獨特之處，在於既是書寫文本，又因爲文字經過機械複製的轉變，而與其他書寫物不同。印刷書在頁面、符號上的種種設計，都能造成視覺上的效果，影響讀者對文本意義的解讀。關於這方面最具解釋力的，便是傑內特(Gerard Genette)稱爲「類文本」(paratext)的概念，尤其是構成其中之一的「內文本」(peritext)。「類文本」將印刷頁面的設計視爲建築的隱喻。讀者閱讀一本書時，從各種前置性的序文瀏覽到正文的過程，就好像參觀一座建築物時，先從門廊進入大門，才能到達建築的主體一樣。讀者藉由斜體字形式，或鼻音號、星號等印刷符號的指示，而得以辨識前置性的序文；這些序文雖然出現在正文之前，但通常是在正文印好之後才加以印刷。前置性的序文雖然並非正文本身的一部分，但經由書籍印刷設計的方式，卻能影響讀者對正文文本意義的解讀，就好像門廊和大門會影響參觀者對建築主體的印象。

前置性的序文因此能爲《書籍的秩序》提供不同的理解方式。雖然現在重新印刷過去的書籍時，只重視作者自己撰寫的序文，而忽略其他人的序文。然而，《唐吉訶德》1605、1614(僞託的續集)和1615年三個版本裡的序文，在不同類文本物質面向意涵(法律、編輯、經濟和文學)上的相互關係，也能解讀出許多不同的意義。

近年來與印刷書的物質性相關的研究，重要者還有佩特魯齊(Armando Petrucci)提出的「單一作者本」(libro unitario)概念，指由單一作者的單一或多份作品裝訂而成的書籍。「單一作者本」的出現之所以重要，是因為中世紀的手抄書傳統，自8世紀以來，除了法律文獻、教會建立者的著作，以及古代的經典之外，絕大多數的方言文本都是合多名作者的著作為一書。然而，「單一作者本」的形成並非肇始於印刷術的發明，因為早在14世紀中葉，已可見到方言書籍的讀者或是擁有者，打破中世紀以來的傳統，將單一作者的著作裝訂成一書的情形。如義大利的薄伽丘和佩脫拉克、法國的皮桑(Christine de Pisan)與德奧爾良(Charles d'Orléans)的作品，都可以看到各自單獨成書的現象。不過，印刷術的發明，對這個趨勢確實起到推波助瀾的功效，導致17世紀英格蘭多種「作品集」(Workes)的出現。這股出版「作品集」的風潮，並非始於強森(Ben Jonson, 1572-1637)1616年的對開本，或莎士比亞1623年的初次對開本，而可以追溯到嘉斯康尼(George Gascoigne, 1535-1577)和丹尼爾(Samuel Daniel, 1562-1619)更早出版的印刷對開本。

關於《書籍的秩序》討論作者的部分，最近有兩項新發展：其一，是巴吉歐理(Mario Biagioli)和嘉理森(Peter Galison)在哈佛大學舉辦的一場研討會中針對「何謂科學作者？」的討論。這個問題牽涉到傅柯提出，在中世紀和文藝復興時代，科學著作的權威必須以古代學者的姓名背書，而文學著作則在不講求作者身分的情況下匿名流傳的理論。這種將科學和文學一分為二的對比今已受到挑戰。就「科學作者」而言，必須在現代定義下能完成特定實驗或發現的作者，與過去像17世紀，被要求有貴族見證，以獲得權威保證實驗信實可靠的作者之間，做出區分。

其二，是常見於16、17世紀戲劇作品中的共同創作或多人合著問題。2005年納普(Jeffrey Knapp)發表於《再現》(*Representations*)期刊上的文章，引發對此問題的熱烈討論。主要的原因是，納普企圖挑戰在1560-1640年間，英格蘭劇作普遍爲集體創作的定論。不過，在我看來，納普的論點仍有待商榷之處。之後的馬斯坦(Jeffrey Masten)與歐格爾(Stephen Orgel)的研究也指出，印刷劇本的內封面會有掩蓋集體創作實情的問題。這種在腳本集體創作與劇本印刷格式(protocol)之間的矛盾，也清楚見於漢斯洛(Henslowe)的日記之中。漢斯洛的日記證明，從1590-1609年之間，有三分之二的劇本歸屬在兩個以上作者的名下；但在同一時段，印刷內封面上標明複數作者的情況，不超過18%。這種在印刷頁面的論述與實踐之間的落差，證明傅柯區分文本實際創作者與文本歸屬者(即「作者功用」)的做法，確實有理可循，也讓人見識到共同創作的實際情形，如何被簡化爲單一作者姓名，有時甚至是佚名。

文學概念的發明，也是省思印刷造成衝擊的重要面向。印刷術的發明和方言文學目錄書的出版關係密切。例如1664年索黑(Charles Sorel)的《法蘭西作者目錄》(*Bibliothèque Française*)和1670年安東尼歐(Nicolás Antonio)的《西班牙作者目錄》(*Biblioteca Hispana*)，都列出各自國族的文學遺產，包括早在「文學」概念出現之前的著作。值得注意的是，政治上的國家定義並不是這類目錄書收錄著作的標準。例如索黑認爲塞萬提斯的作品，已經因翻譯而「歸化」法國，故加以收錄。當時盛行的西班牙流浪漢冒險小說(picaresque novel)，也同樣透過翻譯編入法國文學的傳統。安東尼歐收錄西班牙文學的標準，也以作者是否曾在西班牙領土(包括在1580-1640年間，一度受到西班牙統治的葡萄牙)範圍之內，或者以卡斯提爾語寫作與否，來作爲收錄作者的標準，國籍並不是他關注的重點。卡斯登(David Scott Kastan)透過分析英格蘭書商莫斯理(Humphrey Moseley)兩套分別出版的詩集和劇作，指出英國也在同一時期，出現了與西班牙相似的國族文學形成現象。除了收入其中的作者均爲16、17世紀活躍於英國的作家之外，藉由統一版本的開數(劇作是四開，詩集則爲八開)、畫一內封面的字體與格式，以及附上作者肖像等印刷設計，莫斯理的出版品成功賦予各不相同的作品，共同一致的印刷特徵；並因此從遊記和歷史等文類中區隔出獨立的文學領域，使「英國文學」概念的出現成爲可能。

這裡的討論，衍生出一個我在《書籍的秩序》中，未曾探討的作者傳記分析議題。作者傳記的起源與演變本身就是一個問題。莎士比亞便是顯著的例子，其生平軼聞的文字描述最早見於1709年羅威(Nicholas Rowe)編纂的版本之中，以及後來馬龍(Edmund Malone)的莎士比亞傳記。塞萬提斯也値得關注。其首部傳記要到1737年才出現在倫敦版的《唐吉訶德》中(作者爲Mayans y Siscar)。莫里哀的傳記，也要等到1725年才問世(作者爲Grimarest)。如果根據作品出版的年代順序加以檢視(如馬龍的做法)，傳記便成爲在作者生平和著作之間建立連結上，不可或缺的基礎。但也因爲依循這種方法，以往對作者傳記的研究，都只能在視生平啓發了著述，或將著作視爲生平的文獻資料這兩個取徑之間打轉。文學史的研究，一直無法超脫追溯出版順序的傳記書寫，與追溯作品實際創作時間的編輯實踐，兩者之間相互關係的羈絆。這種情況直到葛林布萊(Stephen Greenblatt)的《推理莎士比亞》(*Will* *in the World*)在2004年出版之後*，才有所轉變**。除此之外，聖克萊爾(William St. Clair)的研究也提出類似的觀點，只不過研究的時代更爲晚近。他在《浪漫時代的閱讀國家》(*The Reading Nation in the Romantic Period*, 2004)一書中，企圖否證文學作品出現的年代順序，與當時的集體心態之間有顯著呼應的假設，因爲一個時代的讀者並不會只閱讀當代的書籍，就好像在浪漫主義盛行的19世紀初年，古老陳舊的著作依然爲人閱讀。

印刷文化的歷史或印刷的文化史？

我若是在今天撰寫《書籍的秩序》，由解釋「印刷革命」的兩種模式衍生而出的爭議，將會是不可避免的問題。在這兩種模式當中，較傳統的解釋主要以艾森斯坦的觀點爲基礎，將印刷機、印刷工坊、印刷書，以及各式各樣的印刷品，全都視爲傳播資訊和知識不可或缺，甚至是獨一無二的媒介。在此解釋模式應用之下，不論是翻譯、雜文、合集，還是庶民文類(包括傳唱時事的歌謠、叫賣書、快報、藍皮文庫、卡斯提爾的散裝書，或是*literatura de cordel****，都是傳播訊息強大的工具，使書寫文字得以散播並深植於西方世界。然而，眾所周知，後來瓊斯(Adrian Johns)提出了另一種建構的解釋模式，認爲印刷術和其他技術發明本質上並無不同

---

* 〔中譯註〕中譯本見葛林布萊著、宋美瑩譯，《推理莎士比亞：解開五百年來天才的創作秘密》(臺北：貓頭鷹出版，2007)。

** 〔中譯註〕葛林布萊的新歷史主義研究，將莎士比亞的文學作品，放在莎士比亞身處的時代脈絡中，以求理解其創作的過程和靈感的來源。

*** 〔中譯註〕*literatura de cordel*是一種源自於葡萄牙，後來盛行於巴西西北地區的一種庶民刊物，以夾在懸掛的繩子上販賣的方式聞名。

之處，其本身的特性和造成的影響，也是在交易、協商和各種成規限制當中，矛盾地建構而成。這種解釋模式是建立在科學史，特別是實驗科學的科學史，所發展出的新觀點之上。這種觀點假定使實驗得以重複驗證的條件，是建立在既有的一套成規，以及與之達成的協商之上。以此而言，出版商在生產不同版本的書籍時，必然也有相應的慣例與準則，規範知識透過文本傳播的方式。

這第二種解釋模式，可能會使對印刷術的「負面描述」(black legend)重新獲得重視。由於長期處於讚揚印刷術發明如何導致種種進步的歌頌聲中，我們幾乎已經忘卻，另一種諄諄告誡印刷如何生產出大量訛誤的聲音。例如，塞萬提斯筆下的唐吉訶德，便因爲在巴塞隆納的印刷工坊中，目睹了印刷的不可信賴，而懲處了印刷商和書商。德維加(Lope de Vega)在《歐維胡納》*(Fuente Ovejuna)**，一段學者和農民的對話中，也談到印刷根本就不是在傳播新知，而只是大量複製無用的書冊。奎維多(Francisco de Quevedo)在《地獄幻影》(*Sueño del Infierno*)中**，則認爲書商和印刷商下地獄的原因，是由於將知識菁英之間流傳的文本，交到不配理解它們的讀者手上。從這些負面描述的遣辭用字，可以看出印刷造成的不只是道德上的損害。除了大量複製排字工和校對工的疏失，造成文本的訛誤之外，印刷還使得書籍市場商業化，導致文本

---

* 〔中譯註〕《歐維胡納》是西班牙劇作家德維加(1562-1635)，以當時發生在Fuente Ovejuna村莊的一段眞實事件爲基礎，寫成的劇作。故事描述村民由於不堪虐待，共同殺害了戍守當地的官員。而在亞拉岡國王斐迪南二世下令調查之後，遭到逮捕刑求的村民皆異口同聲地回答：「兇手是Fuente Ovejuna村。」

** 〔中譯註〕《地獄幻影》是西班牙貴族作家奎維多(1580-1645)的諷刺散文。

流到大量無知讀者的手上，因而產生意義的訛誤。或許這些負面描述還可以說明，爲什麼在印刷時代早期，印刷商和書商要大費周章地解釋他們對社會有何貢獻。

閱讀與盜獵的限制

最後，我要藉此機會，澄清我在《書籍的秩序》中，關於閱讀實踐的討論引發的誤解。此書引起的批評當中，有些企圖挑戰我關於讀者有不受局限的閱讀自由，也就是閱讀是讀者不受拘束的創造力實踐的觀點。反對者指出，讀者對文本意涵創造性的解讀，事實上受到成規和(作者、出版商等意圖操作之)策略的局限。然而，我在1992年的討論，原本就沒有要表達閱讀等同享盡無限自由的意思。在我們那個時候，眾所周知這個問題深受德瑟鐸在《日常生活的實踐》(*The Practice of Everyday Life*)中提出，閱讀如盜獵的著名比喻影響。其實德瑟鐸對於這個比喻在歷史學和社會學方面的應用，並不是很感興趣。他的目的在於表達反對大眾媒體導致疏離的看法；主張任何一位讀者都有能耐，在他人筆耕的土地上盜獵所需，並建立屬於自身，不同於文本加諸的意義。德瑟鐸指出，這種將文本挪爲己用的能耐，是普遍存在於閱讀實踐當中的特徵。當初我引用德瑟鐸這種分析形式的目的，是要藉此將讀者從文本的身影當中區隔出來，指出符號學、結構主義，或語言學的解釋模式，都不足以理解閱讀實踐，因爲意義並非單方面由文本機制發送，而是存在於文本機制，**與**讀者的能耐、能力、實踐與利害考量之間的關係當中。

至於所謂閱讀的現象學(特別是伊瑟爾〔Wolfgang Iser〕1978

年的《閱讀的行動》[*The Act of Reading*]一書)，我還是要以歷史學和社會學的觀點，解釋像費許(Stanley Fish)所謂的「詮釋社群」，或是「挪用」(appropriation)的概念。我必須特別說明，我對「挪用」概念的使用，兼具傅柯(視挪用爲占有，即某物一旦爲某人挪用，便不得再爲他人挪用)，和現象學與詮釋學(視挪用爲一創造的過程，將賦予被挪用的文本新的意義)上的意涵。雖然「詮釋社群」和「挪用」是我析論時的核心概念，但我必須特別強調，這兩個概念都必須放在歷史的脈絡中探討，因爲各種閱讀方式、不同位階的讀者與書寫文化之間各不相同的關係，以及共享相同經驗和背景的讀者對社會不同的感受和表述，都受到個別社群本身既有的傳統、成規、實踐和利害考量所局限。

有人可能會懷疑，這種研究取徑，難道不會導致文本或文類的意義，只剩下眾多讀者對文本包羅萬象、莫衷一是的回應嗎？事實上，其中仍有可資依循的原則。首先，我們可以從讀者的社會身分認同(social identity，諸如性別、地位、階級)所形成的行爲符碼和成規中，定位出讀者的文學偏好和閱讀的姿態。再者，意義的建構，受到文本本身和其載體的物質形式局限，讀者解讀的自由，不能完全超脫這種限制的拘束。我研究閱讀史的方法，就是像這樣，建立在將「詮釋社群」，放在歷史學和社會學意義的脈絡中解讀的基礎上來理解，牽涉到抽象文本的內容、文本載體的物質形式(不論是雕刻、手抄、印刷或口語)，和讀者的挪用，三者之間的相互關係(這是就理論而言，其實在社會實踐上，這三者密不可分)。其中讀者必然視爲某個特定「詮釋社群」的成員。

以上所述，是我認爲我在《書籍的秩序》中的方法，需要重新思考的地方。當然，由於自1992年以來，書籍史的領域中貢獻卓著的著作不斷推陳出新，此處的檢討必定有所不足。重點在於，不論是我在此處的檢討，還是在撰寫《書籍的秩序》時的理解，都指出這個領域最重要的成就之一，便是將在此之前，相對來說個別獨立發展的智識傳統，特別是文本社會學、文學批評、書籍史、書寫的歷史，以及歷史書目學和文化史，匯聚結合在一起的能力。其中在文化史的方面，至少就我自己的研究而言，是深受年鑑學派傳統的架構和實踐影響。現在回想起來，《法國出版史》其實是邁向將文本的物質性，與書寫物的文本性結合之研究方向的開端。當年這部書的出版，從根本上，挑戰了將心態史與思想史劃分爲二的傳統。我在近作《書寫與消逝》中，也企圖結合在西方向來分而治之的兩種傳統，即文學著作的詮釋與評論，與對文學著作的出版、流通和挪用的技術和社會條件，所做的分析。回首來時，我的思考似乎仍然延續著自1980年代初次提筆寫作時的思路。我依然相信，唯有盡可能促進各個學門、傳統和方法之間的融會和溝通，書籍史才能成爲堅實的學術典範。

索　引

七劃

八劃

九劃

十劃

十一劃

十二劃

十三劃

十四劃

十五劃

十六劃

十七劃

十八劃

十九劃

二十劃

現代名著譯叢

書籍的秩序：歐洲的讀者、作者與圖書館（14-18世紀）

2012年3月初版　　定價：新臺幣280元

著者 Roger Chartier
譯注者 謝柏暉
審訂 秦曼儀
發行人 林載爵

出版者 聯經出版事業股份有限公司
地址 台北市基隆路一段180號4樓
編輯部地址 台北市基隆路一段180號4樓
叢書主編電話 (02)87876242轉211
台北聯經書房：台北市新生南路三段94號
電話：(02)23620308
台中分公司：台中市健行路321號
暨門市電話：(04)22371234ext.5
郵政劃撥帳戶第0100559-3號
郵撥電話：(02)23620308
印刷者 世和印製企業有限公司
總經銷 聯合發行股份有限公司
發行所：台北縣新店市寶橋路235巷6弄6號2樓
電話：(02)29178022

校對 吳淑芳
謝柏暉
封面設計 李東記

行政院新聞局出版事業登記證局版臺業字第0130號

本書如有缺頁，破損，倒裝請寄回台北聯經書房更換。　ISBN 978-957-08-3965-4 (平裝)
聯經網址：www.linkingbooks.com.tw
電子信箱：linking@udngroup.com

國家圖書館出版品預行編目資料

書籍的秩序：歐洲的讀者、作者與圖書館（14-18世紀）/ Roger Chartier著．謝柏暉譯．初版．臺北市．聯經．2012年3月（民101年）．
160面．14.8×21公分（現代名著譯叢）
譯自：L'ordre des livres. Lecteurs, auteurs, bibliothèques en Europe entre XIVe et XVIIIe siècle
ISBN 978-957-08-3965-4（平裝）

1.閱讀 2.書史 3.書書館史 4.歐洲

019.09 101002600